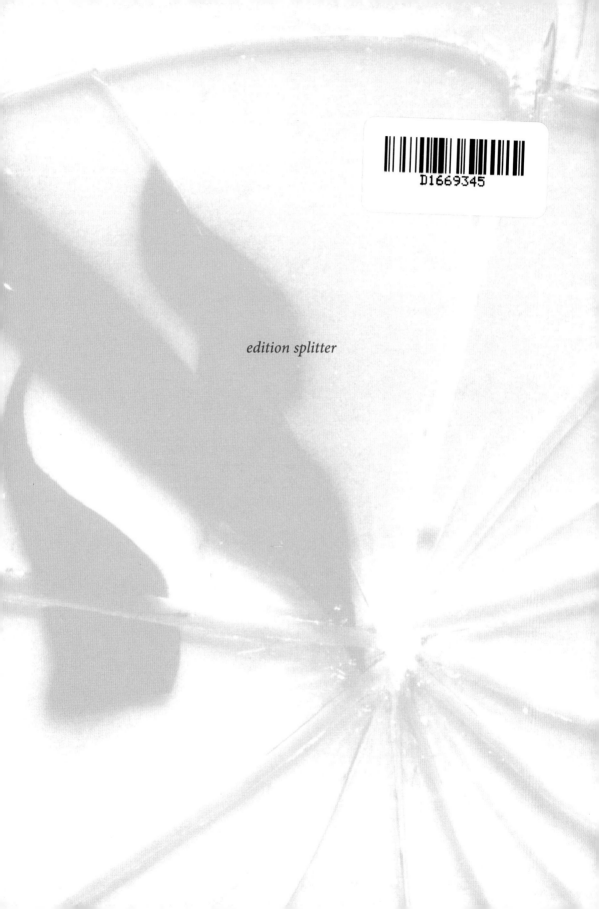

edition splitter

Batya Horn & Christian Baier [Hg.]

Handicap
Schicksal & Chance

[Eine Anthologie]

edition splitter

NEUNTER GRAD VON ZEHN SCHWIERIGKEITSGRADEN

Brus 2011

Die Schöpfung ist ein Wunderwerk. Aber ein störanfälliges. Ein filigraner **Vorwort** Balanceakt zwischen Norm und Normierung, von mechani[sti]scher Funktion und mentaler Dysfunktion. Die Schöpfung ist kein Versprechen von Dauerhaftigkeit. Stets bleibt sie Gratwanderung zwischen dem Zufall, daß wir leben, und dem Umstand, wie wir leben. Die Grenzen zwischen Lebensführung und Lebensfristung sind fließend. Der Status quo ist eine Denkfalle.

Wie bereits die vorangegangenen Anthologien der Reihe »Existentielle Befindlichkeiten des 21. Jahrhunderts« verdankt auch ihr siebenter Band seine Entstehung persönlichen Lebensumständen: Die Herausgeberin war durch eine Beinoperation – »nichts Tragisches, nur eine blöde G'schicht'« – plötzlich zu einem mehrmonatigen »Krückenleben« und – sie, die fast alle Wege im Laufschritt zurücklegt! – zum »Schneckentempo« gezwungen. Die fünfhundert Meter, die Wohnung und Arbeitsstätte voneinander trennen, gestalteten sich zu einer »Tour des douleurs«.

»Ich mußte«, erinnert sich Batya Horn, »Abläufe, die ich automatisiert hatte, neu durchdenken und strukturieren, mußte Prioritäten setzen, den Notwendigkeiten meiner Lebensführung eine Hierarchie einziehen. Das veränderte meinen Blick auf meine sozialen, beruflichen und wirtschaftlichen Verpflichtungen. In meiner Eingeschränktheit fing ich an, um mich zu blicken. Im hektischen Gewühl der Menschen auf der Straße, die unbe- und ungehindert ihrem Leben nachgehen können, wurden mir Behinderte auf einmal zu Verbündeten, Gefährten und Verwandten, deren Blickkontakt ich suchte. Plötzlich erfuhr ich auch von den vielen verborgenen Beeinträchtigungen, die die Existenzen von Freunden und Bekannten bestimmen, von Zuständen, in denen sich einzurichten, mit denen sich abzufinden Menschen dauerhaft gezwungen sind. – Natürlich konnte ich mich immer damit trösten, daß meine Behinderung zeitlich begrenzt war. Doch selbst, als ich die Krücken endlich in die Ecke lehnen konnte, gelang es mir nicht mehr, mein Leben so gedankenlos und selbstverständlich zu führen wie vorher.«

Vom Leben, das plötzlich [unmerklich] »anders« wird oder immer schon »anders« war, von festgefahrenen Handlungs-, Denk- und Gefühlsmustern, die ausweglose Bannkreise um Existenzen zirkeln, von Gedankenlosigkeit und verlorengehenden Selbstverständlichkeiten, von Ein- und Beschränkungen, vom persönlichen und gesellschaftlichen Umgang mit offensichtlichen und verborgenen Handicaps handelt diese Anthologie an der Sollbruchstelle von Lebenshaltung und Lebenserhalt, von Schicksal und Chance.

Während die Herausgeber an dieser Anthologie arbeiteten, verstarb Andreas Okopenko, Autor und Freund der »Edition Splitter«. Seinem Gedenken ist dieses Buch gewidmet.

Von: Andreas Okopenko [okopenko@gmx.at]
An: horn@splitter.co.at
Betreff: Gesendet: Fr 07.08.2009 12:09

liebe Batya, an meiner biographie hat sich nichts geändert. Meine letzte publikation ist »erinnerung an die hoffnung, gesammelte autobiogr. aufsätze«, Klever-Verlag. diesen titel möchte ich gern in der antho erwähnt wissen. gut gehts mir derzeit nicht, weil ich schreckliche kreuzschmerzen zu tragen habe. pflaster sind da in den kampf geschickt. unser wiedersehen werde ich im august mit meinem ordinationsbesuch in der Langen Gasse koppeln können. ich freue mich. herzlich frosch andreas.

Von: Andreas Okopenko [okopenko@gmx.at]
An: horn@splitter.co.at
Betreff: Gesendet: Mo 23.11.2009 11:01

liebe batya, leider bin ich noch inflexibel und mies beisamm. konnte nicht kommen. danke für dein gedenken – werde mich als halbgenesener melden. ciao, herzlich andreas.

Von: Andreas Okopenko [okopenko@gmx.at]
An: horn@splitter.co.at
Betreff: Gesendet: Sa 28.11.2009 11:46

Liebe Batya, wie schön, daßd mich krankensessel nicht vergißt und mir noch energien sendest. gratuliere zur neuen anthologie. mein expl. übergib mir bei unserm ersten gesundtreffen, auf das ich mich sehr freue, auf mein xünderwerden werd ich dich zur rechten zeit aufmerksam machen. bis dahin noch auf wieder...elektronisch. Dir selbst alles gute, erfolgreiche und ungrippöse. dein gequetschtes fröschl andreas.

Von: Andreas Okopenko [okopenko@gmx.at]
An: horn@splitter.co.at
Betreff: Gesendet: Di 29.12.2009 09:46

Liebe Batya, für Deine aufmerksamkeit danke ich bestens. wenn ich wieder mobil sein werde, wirds auch ein wiedersehn geben. inzwischen frohes neues jahr. der kranke andreas.

Von: Andreas Okopenko [okopenko@gmx.at]
An: horn@splitter.co.at
Betreff: Gesendet: Di 05.01.2010 10:54

liebe batya, dank für mitteilung u wünsche. 5.märz vorgemerkt, werde gesundung u lesefähigkeit melden, freue mich. inzwischen gute neu-tage. der langsam sich bessernde frosch andreas.

Von: Andreas Okopenko [okopenko@gmx.at]
An: horn@splitter.co.at
Betreff: Gesendet: Fr 26.02.2010 13:36

liebe batya, leider bin ich gesundheitlich noch nicht in der lage zu lesen oder dortzusein herzliche grüße dein patient andreas

Von: Andreas Okopenko [okopenko@gmx.at]
An: horn@splitter.co.at
Betreff: Gesendet: Do 01.04.2010 11:49

liebe Batya, am 10. April um 19h wird im literaturhaus ein fest für mich abgehalten (proponenten karin, mayröcker, kaip, zauner). ich werde in meinem zustand gut behütet, muß mich nicht aktiv präsentieren. da könnten wir uns unstressed begegnen, es würde mich freuen. herzlich andreas.

Von: Andreas Okopenko [okopenko@gmx.at]
An: horn@splitter.co.at
Betreff: anthologien   Gesendet: Di 04.05.2010 12:47

liebe Batya, mir fallen wieder meine zwei antho-vorschläge ein: 1) »Auch das noch!« 2) »Fürchten ist schrecklich« Herzlich Andreas.

[Andreas Okopenko verstarb am 27. Juni 2010 in Wien.]

Andreas
Okopenko

Das rote Gilet

Zwischen der Ankunft des Busses und dem Aufsperren des
Bürohauses, in dem sie arbeitete, hatte Margit meist noch eine
Viertelstunde Zeit, die totzuschlagen war. Sie machte zu diesem
Zweck gern einen Umweg durch die benachbarte Geschäftsstraße
mit einer Menge interessanter Schaufenster. Heute faszinierte sie
eine Boutique für Damen in den hierzuort wirklich vorkommenden
und nicht von Modeschöpfern erträumten Körpermaßen. Bei näherem
Hinsehen rückte ein hübsch arrangiertes, aber etwas weit hinten
placiertes Kleidungsstück ganz nach vorn in ihr Blickfeld: ein Gilet
aus knallrotem Leder, von gemeingefährlichem Pfiff und genau in
ihrer Größe. Das mußte sie haben.
Margit stieg nächsten Morgens wieder aus dem gewohnten Bus. Die
Illusion, mit ihrem Auto aus dem Vorort, in dem sie wohnte, direkt,
bequem und für sich allein vor ihre Arbeitsstätte zu fahren, hatte
sie seit langem aufgegeben. Jetzt weidete das Auto die Woche über
auf der Wiese vor ihrem Wohnhaus und wartete auf den liebge-
wohnten Wochenendausflug mit ihrem Freund. Im übrigen sorgte es
nur mit für die chronische Überziehung ihres Gehaltkontos. Margit
ging auch diesmal wieder durch die Bummelstraße, blieb vor der
Boutique stehen und saugte sich am knallroten Bild vor ihren Augen
fest. Das lederne Teufelsding trug eine Preistafel und war für
Margit unerschwinglich. Leider war ihr Freund auch nicht der in
Witzblättern immer noch grassierende Klischeemann, der sich
seufzend jeden Modewunsch seiner Frau oder Freundin vom Mund
abspart und absparen kann. Da gabs nur das Lotto... Sie mußte
wirklich wieder einmal ihre gewohnte Zahlenreihe ändern.
Aufregend würde das rote Gilet zu ihren tiefschwarz gefärbten
Haaren passen - die sie sich auch nur leisten konnte, weil ihre
gefällige Kollegin alle zwei Wochen das Färben kostenlos über-
nahm, bis auf die nötige Tube aus der Billigparfumerie.
Margit hatte oft aufregende Träume. Heute ging sie durch eine
Weltstadt, wie aus einem zukünftigen Jahrhundert. Eigentlich ging
sie nicht sondern wurde von einem Rollsteig mit Riesengeschwin-
digkeit durch die wechselnden bunten Straßen voll Geglitzer und
Blitzen getragen. Den Rollsteig konnte sie nach Belieben ihrem
Zielort entsprechend wählen. Wollte sie nicht auf den Steig 41 ?

Nein, sie verwechselte die Ziffern, zu der Boutique führte der Steig
Nr.14. Schon stand sie mitten in der Boutique, und eine englisch
sprechende Verkäuferin, eher eine in den Raum greifbar projizierte
Lichtpuppe, probierte ihr das rote Ledergilet an. Wundervoll, sagte
die, aber eine winzige Kleinigkeit ist noch an der Oberweite zu
ändern. Kommen Sie in Kabine 2. Nein, Sie sind in Kabine 1. Hier
steht doch 2, sagte Margit auf Englisch. Und schon sauste sie, den
fertigen Karton im Arm, abwärts vor eine unterirdische Kasse. Sie
holte ein Bündel Geldscheine aus ihrer Börse, es waren kanadische
Noten, mit groß erkennbarem Ahornblatt. Sie blätterte äußerst
geschwind 45 solcher Scheine vor die Kassierpuppe hin und hatte
3 Dollar zurückzubekommen. Es gibt auf der ganzen Welt keine
3-Dollar-Münze, zischte die Puppe sie an, verschwinden Sie!
Margit rannte in Schreck davon, Karton und Börse an sich klam-
mernd, sah im Ausgangstor den monumentalen Werbespruch
"...Aber in Toronto!" und wußte jetzt, in welcher Weltstadt sie
war.
Erschöpft aufwachend, dachte sie, Gottseidank, das Gilet habe ich
mir herübergerettet, aber in einer weiteren Sekunde war sie ganz
da und gab auch das begehrte Stück ihrem Traum retour. Da waren
aber die Zahlen... Lottozahlen, fiel ihr ein. Und sie erinnerte sich:
41, 14, 1, 2, 45, 3. Bürogeübt ordnete sie die Zahlen gleich richtig
an: 1,2,3,14,41,45. Alles waren für das Lotto brauchbare
Nummern.
Margit setzte. Ihr Tip kam nicht. In der ersten Enttäuschung
sagte sie sich: Ist ja ein Unsinn. Nie werden 1,2 und 3 auf einmal
gezogen werden. Dann aber trotzte sie auf: Ich war möglicherweise
zu eilig. Ich habe vielleicht erst das nächste Mal spielen
sollen?
Sie setzte wieder. Dann früh im Büro hörte sie gierig die
Ergebnisse ab. Wieder nichts. Lustlos arbeitete sie den Tag zu Ende,
lustlos ging sie in den nächsten Bürotag, nun nicht mehr durch die
Straße mit der Boutique.
Im Büro war sie heute die erste, sie hatte fünf Minuten auf das
Aufsperren warten müssen. Der Vorraum zum Chefzimmer war noch
leer. Pfeifengestank von der gestrigen Beprechung schwebte noch
herum. Sie öffnete das Fenster. Auf dem Abstelltischchen lag
achtlos vergessen eine Zeitung des Besuchers: "Toronto"..., las sie,
"Toronto Financial Mirror". Sie blätterte etwas darin, nicht

endende fade Zahlenblöcke, Abkürzungen, Firmennamen. Auf der vorletzten Seite aber etwas Gesellschaftsklatsch, sie stellte ihr Englisch auf die Probe. Eine für das trockene Blatt - "Ahornblatt", fiel ihr ein und ihr Traum von Toronto und den Dollars - für das trockene Blatt eher saftige Schlagzeile: Doppeljackpot geknackt - größter Gewinn in der kanadischen Lottogeschichte. Darunter: Büroangestellte ergattert 45 Millionen Dollar. Und sie las: ...Die vom Glück so gesegnete Kanadierin ist Marge, eine Exportangestellte aus Toronto, die beim örtlichen Lotto nach Büroschluß in buchstäblich letzter Minute die richtige Zahlenreihe gesetzt hatte. Den ganz unwahrscheinlichen Tip mit drei aufeinanderfolgenden Zahlen verdankt die glückliche Marge einem wirren Traum, in dem sie sich in den Geschäftsstraßen einer österreichischen Stadt verlief, wo sie auf der Suche nach einem schicken Kleidungsstück umhergeirrt war. Die Zahlenreihe - 1,2,3,14,41,45 - will sich Marge in Goldschnitt über die Eingangs- tür ihres Traumhauses einschnitzen lassen.

Batya Horn
Das Vergehen der
Vergänglichkeit 1

Zu einer ungeschriebenen Sozialgeschichte der Behinderungen Eine um- Christian Baier
fassende Sozialgeschichte der Behinderungen ist bislang nicht geschrieben **Für Quasimodo**
worden. Zu lange waren sie innerhalb der zivilisationshistorischen Hüllkurve
Schicksal. Das macht selbst den wissenschaftlich-[er]nüchtern[d]en Blick auf
sie schwierig. Schicksal – ob auf der ersten oder der zweiten Silbe betont, ob
nun unabwendbares Verhängnis oder Seelenwaschmittel – hält sich nicht an
soziale Spielregeln und Gesellschaftsverträge. Es rührt – in den vorzivilisato-
rischen Epochen der Menschheitsgeschichte wurzelnd – an andere Schichten
der menschlichen Natur ...

Quasi modo Zu Zeiten, in denen es keinerlei medizinisches Bewußtsein in
der Bevölkerung gab, und Seuchen noch in die Hiobskategorie »Göttliche
Prüfung und Heimsuchungen« fielen, waren anatomische und organische
Mißbildungen mit dem Stigma des Abnormen behaftet.
Quasimodo, der bucklige Glöckner, an dem Victor Hugo seinen romantisierten
Begriff von menschlichem Mitleid exemplifizierte, steht stellvertretend für den
Umgang der Gesellschaft mit Behinderungen sowie die Stellung des Behinderten
in und seine Einstellung zu seinem sozialen Kontext. Gleichzeitig postuliert
die Figur des Verwachsenen, Tauben und keiner verständlichen Ausdrucks-
weise Mächtigen eine verständnis- und mitleidsfördernde Diskrepanz von
äußerem Erscheinungsbild und innerer Konstitution: Als Ausgestoßener ist
Quasimodo in dem von menschlichen Verkommenheiten regierten mittelalterlichen Roman-Paris Hugos der einzige Protagonist, der zu irgendeiner
Regung über den eigenen Bedürfnishorizont hinaus fähig ist, Anteilnahme
zeigt, Mitgefühl lebt. Bis zur Selbstaufgabe. [Doch was gibt ein Geächteter
wie er, dessen einzige »Spielgefährtin« und »Geliebte« eine große Glocke ist,
schon auf, wenn er sich selbst aufgibt?]

Die perfekte Schöpfung Die ablehnende Haltung gegen Menschen mit physischen oder psychischen Beeinträchtigungen entbehrt in der Gedanken-
welt der voraufklärerischen Epochen durchaus nicht einer [wenn auch mehr
zwanghaften denn zwingenden] Logik, spottet diese auch aus heutiger Sicht
jedwedem Humanismus: Laut Bibel ist der Mensch nach Gottes Ebenbild
geschaffen. Ergo: Der Allmächtige kann keinesfalls mißgebildet sein, wäre
er doch sonst gar nicht in der Lage gewesen, etwas so Vollkommenes wie die
Welt und den Menschen zu kreieren. Gott schuf allein aus seiner Vorstellungskraft heraus. Da es nichts gab, an dem sich seine Phantasie orientieren, das
er hätte nachbilden oder variieren können, war er sich – so die Vorstellung
des nach-schöpferischen Menschen – also selbst einzige Vorlage. Wäre er mit
einer Behinderung ausgestattet, hätte er über keine Vorstellungskraft für das

Vollkommene verfügt. Alles, was von der Ebenbildlichkeit Gottes abwich, konnte demnach nicht nach dem Willen des Allmächtigen sein. Und so wurden jene, die nicht der Norm entsprachen, als von der perfekten Schöpfung ausgeschlossen betrachtet. Mißgestaltete fielen nicht – oder innerhalb eines zivilisatorischen Reglements nur sehr bedingt – unter das Gebot der Nächstenliebe. Denn wie ist zu lieben, was nicht dem entspricht, auf dessen Gebot hin und um dessen Gnade willen der Mensch seine tierische Egozentrik überwindet und sich zur Schonung des Gleichgearteten, zur Anerkennung des Artgenossen durchringt?

Die mitleidlose Evolution Diese Mentalität gründet sich auf Verhaltensweisen, die ihre Wurzeln in der Evolutionsgeschichte haben. Lebewesen, denen durch Geburt oder durch Lebensumstände wichtige physische und/oder psychische Fähigkeiten abhanden gekommen sind, sind – Einzelfälle ausgenommen – nicht in der Lage, in der Natur zu überleben. Die Freßfeinde sind in der Überzahl. Hier greift das Prinzip der natürlichen Auslese.
Im Rudel erhöhen sich die Überlebenschancen eines behinderten oder beeinträchtigten Lebewesens, wenn die Gemeinschaft seine Fähigkeitsdefizite ausgleicht oder seine Versorgung teilweise bzw. gänzlich übernimmt. Dadurch kommt es aber zu einer Schwächung der gemeinschaftlichen Gesamtleistung und somit zur Beeinträchtigung jedes einzelnen im Zweckverband. Will das Rudel überleben – und somit jeder, der ihm angehört –, muß es sich jener Mitglieder entledigen, die nichts oder weniger als andere zum Bestand der Gemeinschaft beitragen. Gemeinnutz geht vor Eigennutz.

Norm und Normalität Eine erste Klassifikation von Behinderten erfolgte durch die Unterscheidung zwischen angeborenen und zugezogenen Beeinträchtigungen. Ein Mensch, der ohne Behinderung geboren und erst im Laufe seines Lebens durch Unglück, Unfall oder gar im Kampf beeinträchtigt wurde, erfuhr – wenn auch in sehr bescheidenem Rahmen – größere Duldung als jene, die von Geburt an behindert waren.
Ersterer hatte bereits Leistungen für die Gemeinschaft erbracht. Behinderungen in Folge von Kampfhandlungen legen eindrückliches Zeugnis über den Gemeinschaftssinn ab und werden – je nach wirtschaftlichen Gegebenheiten – sogar honoriert. Das antike Rom zeigte sich in wirtschaftlichen Hochzeiten invaliden Legionären gegenüber sehr großzügig. Das stärkte die Moral der gesamten Armee: Kein Soldat mußte fürchten, im Kampf verwundet zu werden und dadurch aus dem sozialen Rahmen zu fallen. Während einer Kampfhandlung dagegen waren Verletzte beim Vormarsch oder Rückzug hinderlich und stellten eine Gefahr für die Gemeinschaft dar. Ihrer entledigte

man sich. Mancher Ehrenkodex, mancher verhängnisvolle Heldenmythos hat hierin seinen Ursprung.

Menschen mit prä- oder perinatalen Beeinträchtigungen dagegen waren von Geburt an auf die Versorgung durch die Sippe angewiesen. Sie leisteten keinen materiell nennenswerten Beitrag zum Fortbestand der Art, sondern stellten eine Belastung dar, die die Chancen der Allgemeinheit im Überlebenskampf verringerte.

Unterbewußt setzt sich diese Unterscheidung bis heute fort. Der ohne Behinderung Geborene kennt zumindest den Zustand der »Normalität«, der Norm innerhalb einer auf Funktionalität [= Überleben] ausgerichteten Gesellschaft. Das Schicksal, das ihn zum Behinderten macht, wird als für den Betroffenen selbst tragisch empfunden. Er/Sie hat etwas verloren, das den anderen Artgenossen noch eignet. Sein/Ihr Verlust weckt das allgemeine [standardisierte] Mitleid, denn er ist für alle Nicht-Versehrten nachvollziehbar.

Dagegen bringt die Gesellschaft den *Angehörigen* von Menschen mit prä- oder perinatalen Beeinträchtigungen Mitgefühl und Anteilnahme entgegen. Der Betroffene selbst hat ja keine Vorstellung von der A[b]-Normität seines Zustandes. Unterhalb des ethischen Empfindens wirken hier prähistorische Instinkte: Der gemeinsame Nenner eines Normalitätsbewußtseins fehlt zwischen einem von Geburt an Behinderten und einem Nicht-Behinderten. Die mentale Schnittmenge ist geringer.

Soziale Nützlichkeit Eine zweite Klassifikation erfolgte durch die Einteilung in körperlich und geistig Behinderte. Mit Fortschreiten des Zivilisationsprozesses und der Etablierung sozialer Strukturen, die sich nicht primär nur auf physische Fähigkeiten gründeten, sondern auch andere Talente des Menschen [Kreativität, Abstraktionsvermögen, soziale Kompetenz und emotionale Intelligenz] forderten und förderten, wuchsen die Überlebenschancen von beeinträchtigten Menschen.

Körperliche Benachteiligungen spielten unter Berücksichtigung von Art und Grad eine große Rolle. Wichtig war dabei die Mobilität des Betroffenen. Der Hinkende, der Einarmige, der Blinde bedurfte zwar der begrenzten und kalkulierbaren Zuwendung, nicht aber der permanenten Fürsorge anderer, da er auch mit seinen eingeschränkten Fähigkeiten in der Lage war, selbst für sein Auskommen zu sorgen. Der Immobile [der Bettlägerige, der Gelähmte u.s.w.] stellte dagegen nach wie vor eine Beeinträchtigung der Gesellschaft dar, weil er für sich die Leistung anderer in Anspruch nahm, die eigentlich in den Erhalt der Gemeinschaft nach außen investiert werden sollte.

Der anatomisch, organisch oder physisch Behinderte erhielt die Möglichkeit, sich auf einem seinen vorhandenen Fähigkeiten entsprechenden Gebiet der

Gemeinschaft nützlich zu machen und seinen Beitrag für ihren Erhalt nach innen zu leisten. In wenn auch sehr bescheidenem sozialen Rahmen bildeten sich typische »Behinderten-Berufe« aus. Der geistig Beeinträchtigte, der aufgrund seiner psychischen, neurologischen und/oder genetischen Defizite nichts zum Gemeinschaftsbestand beitragen konnte, wurde eliminiert, sei es, daß er – wie bei kriegsführenden Völkern [Sparta] – gleich nach der Geburt legitim getötet wurde, sei es, daß die Gesellschaft ihn ausschloß und der sozialen Verkümmerung überantwortete.

Die medizinische Unerklärbarkeit psychischer, neurologischer und/oder genetischer Beeinträchtigungen begünstigte diese Vorgehensweise. Während sich der menschliche Körper in den Hochkulturen der Antike bereits als mechanisches Zusammenspiel von Kräften offenbarte, für die es Entsprechungen in der unmittelbaren Natur gab, blieben das Gehirn, das Nervensystem und die Genetik ein Rätsel. Ihre Funktionsweisen entbehrten jeder Analogie zu Vorgängen und Erscheinungen, die der Mensch aus der Anschauung seiner Umwelt kannte. Ein verkürztes Bein und seine Auswirkungen auf das Leben eines Menschen sind jedem vorstellbar. Das Verhalten von psychisch Andersgearteten bleibt – selbst bei intensivster Auseinandersetzung mit dem Beeinträchtigten – jedem, der die Störung – und ihre immanente Logik – nicht am eigenen Leib erfahren hat, letztlich fremd.

Befremdnisse Ein weiterer Grund für die gesellschaftliche Vorgehensweise gegen geistig Beeinträchtigte ist im Arterhaltungstrieb der menschlichen Spezies selbst zu sehen: Die Natur ist an einer Optimierung des Erbmaterials im Sinne einer Steigerung der [Über-]Lebensfähigkeit des einzelnen als Repräsentanten seiner ganzen Art interessiert. Somit stellt der von Geburt an Behinderte generell und der psychisch, neurologisch oder genetisch Benachteiligte – in seiner geheimnisvollen, unerklärlichen »Umnachtung«, seiner Andersartigkeit – im besonderen eine Gefahr für gesunde, d. h. überlebensfähige, Nachkommenschaft dar.

Der Mensch ist sich – bewußt oder unbewußt – seiner Evolutionsgeschichte stets gewärtig und weiß, wieviel Kraft und Kreativität über viele Generationen nötig waren, um sein unmittelbares Verwandtschaftsverhältnis mit dem Tier in ein mittelbares zu verwandeln. Zu Beginn seiner Geschichte war der Mensch selbst ein physisch schwächlicher, anatomisch und organisch störanfälliger, fell-loser »Behinderter« mit [gemessen an seinen natürlichen Freßfeinden] geringe Körperkraft, mangelnder Schnelligkeit und eingeschränkter Population [lange Schwangerschaftsdauer, Einzelgebärer], der Intelligenz und Kreativität aufbieten mußte, um sich gegen wesentlich schnellere, kräftigere und wendigere Gegner mit regerer Population zu behaupten. Seine Evolution ist vom Streben nach Kenntnissen und Erkenntnissen motiviert, also geprägt von der sukzessiven Eliminierung von Fremdheiten und Befremdnissen.

Erst in einer Welt, die sich der Mensch – laut dem Gebot der Genesis – »untertan« gemacht, also gezähmt hat und beherrscht, einer »entschärften« Welt, in der ihm nichts fremd [und somit bedrohlich] ist, kann er sich entfalten. Daher ist die Spezies an keiner Nachkommenschaft interessiert, der aufgrund ihrer physischen oder psychischen Beschaffenheit die Welt wieder fremd und bedrohlich wird. Dies würde einen Verlust an Macht, eine Schwächung der Vormachtstellung des Menschen in der Welt, eine Re-Evolution bedeuten. Und damit der eigenen prozessual-progressiven Entwicklungsgeschichte diametral entgegenstehen.

Caritas Die von der Bibel kolportierten Wunderheilungen von Lahmen und Aussätzigen durch Jesus Christus setzten diesem evolutionären Überlebensprinzip – »Entstehung der Arten durch natürliche Auslese« – eine zivilisatorische Grenze: Mensch – und somit Paradiesanwärter – kann nur sein, wer sich vom Prinzip der natürlichen Auslese emanzipiert und ihren Gesetzmäßigkeiten entsagt, also seine naturdiktierten Triebe zu beherrschen sucht. Nicht der primitive, instinktgesteuerte, allein auf unmittelbare Reize reagierende Prototyp der Spezies hat Seligkeitsanspruch, sondern der hochentwickelte Vertreter seiner Art, der sein Dasein reflektiert und es mittels Reflexion, Selbstbeherrschung und Triebreglementierung gestaltet. Das verordnete Wohlwollen gegenüber dem Artgenossen – »Liebe deinen Nächsten wie dich selbst!« – schleift die Ich-Grenze, die der natürliche Überlebenstrieb setzt.

Durch die Hintertür des mittelalterlichen Aberglaubens stahl sich aber das prächristliche Überlebensprinzip wieder in die Gesellschaft. Das Kainsmal, mit dem Gott den biblischen Brudermörder brandmarkte, wurde zum gedanklichen Vorbild. Rasch rückten Behinderungen in die Nähe des Dämonischen, des Anti-Christlichen.

Der Teufel, so die stadt- wie landläufige Meinung, ist nicht in der Lage zu schöpfen, zu erschaffen, Neues zu kreieren. Dies bleibt Gott allein vorbehalten. Der gefallene Erzengel kann nur bereits Bestehendes nachbilden, verfremden, verzerren und verderben. Die Auffassung fand durch die Inquisition ihre Stärkung: Behinderungen rangierten in der Liste der Indizien, die zu einer Anklage wegen Hexerei und Buhlschaft mit dem Verderber führten, ganz oben. Das Abflauen der Hexenverfolgung befreite den Behinderten aber nicht vom sündigen Stigma. Es blieb ein moralisches »Denk-Mal«. Ein Flugblatt von 1547 berichtet über einen Sternopagen, ein am Brustteil vereinigtes Zwillingspaar. Die Mißbildung wird als »Strafrute« allen unzüchtigen Männern und Frauen ins Fenster gestellt:

Dies Kind wie droben ist vermeldt
Hat Gott zur Bessrung der Welt
An Tag hat lassen kommen und werden frumm
Dann es wahrlich erschrecklich ist
So mans betrachtet den arge List.
Es zeiget eine Straf der Sünden an
Daß etwan Fraun und die Mann
Vor Gott, der solches allzeit sicht,
Ohn Zucht und Furcht dahin gericht
Allein den Fürwitz dazu büßen
Treten Ehr und Scham mit Füßen
Alsdann tut Gott nach seinem Willen
Formiert verborgen und im Stillen
Ein unnatürliches Menschenbild
Das er viel lieber gerecht erhielt.
Dann von dem obgenannten Weyb
Dem auch zuvor zween Kindesleib
Geboren mit allen Gliedern zart,
Die Bäuche zusammen gewachsen hart
Sonst alle Gliedmaß ledig und frey
Von dem stets solt nehmen bei
Ein Absehen und sich bessern tun
Das half uns Gott durch seinen Sohn.

Die unvollkommene Schöpfung Erst durch die Zunahme medizinischer Erkenntnisse und der allmählichen Etablierung eines anatomischen Bewußtseins in der Bevölkerung kam es zu einer weitgehenden Entdämonisierung und bedingten Entmoralisierung von physischen Beeinträchtigungen. Unter dem Einfluß der frühen Aufklärung – und weil Europa mit den Türkenkriegen ganz andere Sorgen eigneten – verlor der Teufel allmählich seine bedrohliche Omnipräsenz und seine generelle Verantwortung für das Böse. Innerhalb eines Weltgefüges, das schon länger nicht mehr als rein mechanisch begriffen wurde, sondern dessen Komplexizität sich auf politischem, wirtschaftlichem und sozialem Gebiet offenbarte, verkam Satan zu einem gedanklichen Symbolum und wurde schließlich in die Puppenkiste verbannt.
Damit ging aber nicht nur eine Konstante verloren, die das Denken und Fühlen der Menschen Jahrhunderte lang geprägt hatte. Ein ganzes Weltbild, das sich auf der Polarität von Oben und Unten, Gut und Böse, Konformität und Belohnung, Sünde und Strafe gründete, geriet ins Wanken.

Angst und Abscheu vor mißgebildeten Menschen wandelte sich in Interesse für die Absonderlichkeiten der göttlichen Schöpfung. Diese war eben keineswegs so vollkommen, wie die kirchliche Dogmatik behauptete. Und durch die Verabschiedung des Teufels war es auch keine Sünde mehr, an ihrer Vollkommenheit zu zweifeln. Als äußerst störanfällig und fehlerhaft gerierte sie sich. Der Zufall, nach dem sie waltete, spottete dem jahrhundertealten Glauben an die Planmäßigkeit der Fügung, der sich alles menschliche Denken und Empfinden untergeordnet hatte. – Somit konnte auch der Initiator dieses angeblichen »Wunderwerkes« nicht ganz so makellos und vollkommen sein, wie gepredigt wurde.

Schauer und Toleranz Im 17. und 18. Jahrhundert kursierten zahlreiche Flugschriften, die in schauerlichem Bild und mahnendem Wort – und zwar genau in jener Reihenfolge: Schrecken und Predigt! – die »Verirrungen der Natur« beschrieben [und ins Monströse übertrieben]. Was die Schedelsche Weltchronik dereinst an phantastischen Lebensformen in fernen [damals noch schwer oder gänzlich unerreichbaren] Ländern – von Baum- und Schnabelmenschen über Einfüßler bis zu Werwölfen – auflistete und abbildete, wurde von der Wirklichkeit bei weitem übertroffen. Jeder konnte sich gegen Entgelt von den sonderbaren Launen der Natur überzeugen! Man stellte Mißgebildete – wie auch die aus den Kolonien nach Europa verschleppten Exoten – auf Jahrmärkten zur Schau. Die Menschen bezahlten für den Schauer, den ihnen ihr Anblick bereitete. Gottes Schöpferwille stand gegen die Schöpferlaune der Natur.

Zwar tötete man die Beeinträchtigten und Behinderten nicht mehr, man unternahm aber auch wenig zu ihrem Lebenserhalt. Wer nicht über eine sehenswerte und vermarktbare Behinderung verfügte, fristete weiterhin [s]ein Leben am Rand der Gesellschaft. Die spektakuläre Deformation dagegen war in der aufkommenden Aufklärung willkommenes Anschauungsmaterial. Allerdings verkörperte sie nicht mehr die Gottesstrafe für amoralische Lebensweise, sondern hielt einer Gesellschaft, die – begünstigt durch längerwährende Friedensperioden, das Nachlassen der »Gottesplagen« [die letzten Pestepidemien verheerten 1712 Hamburg und 1720 Marseille] und die bröckelnde Allmacht der Kirchen – sozial, politisch und ökonomisch selbstsicherer und autonomer wurde, den Vanitas-Spiegel vor. Alles konnte auch anders sein. Daß sich jemand gerader Glieder und eines hellen Verstandes erfreute, war Zufall. Nicht Gott waltet mehr wohlweislich [straft die Sünder und belohnt die ihm Gefälligen], sondern der regellose Zufall hat seine Regentschaft angetreten. Ihn kümmert nicht, wer moralisch lebt und wer in Sünde. Die ausgestellten Geschöpfe – »Kreaturen«, »Freaks« – waren ein warnendes Memento, eine

Abschreckung des sich erfrechenden Ichs, eine Ermahnung, sich des Willkürprinzips zu besinnen, nach dem die Natur ihre Gunst verteilt, eine Einmahnung von Demut, ein Regulativ der menschlichen Überheblichkeit, wie es einst die apokalyptischen Schreckensbilder und Totentänze des Mittelalters gewesen waren.

Und nur weil es jedem passieren konnte, von Geburt an behindert zu sein, wurde dem prähistorischen Instinkt, jeden zu eliminieren, der nicht in der Lage war, die volle Leistung für das Überleben der Gemeinschaft zu erbringen, ein Riegel vorgeschoben. Allerdings war er noch aus sehr morschem Holz geschnitten. – Die verordnete Caritas des zivilisierenden Christentums wandelte sich zur verordneten Beißhemmung der humanisierenden Aufklärung.

Einsicht So grausam es klingen mag: Auf die Euthanasiemaßnahmen während der Herrschaft des Nationalsozialismus ist zurückzuführen, daß die Behinderung in der zweiten Hälfte des 20. Jahrhunderts der schwammigen Obsorge von Ethik und Religion entwunden und der demokratischen Gesetzgebung überantwortet wurde.

Die auf »Reinerhaltung der Rasse« [d.i. die Sicherung gesunden Genmaterials für die Nachkommenschaft] abzielende Euthanasie durch das Dritte Reich hatte der Weltöffentlichkeit drastisch vor Augen geführt, in welcher Grauzone sich über Jahrhunderte ihre Einstellung zu und ihr Umgang mit beeinträchtigten Menschen bewegt hatte, und wie rasch der gönnerhafte Humanismus [»Behinderte sind AUCH Menschen ...«] in planmäßige Ausrottung der letztlich immer nur Geduldeten und Gelittenen umschlagen konnte, wenn eine Ideologie dies begünstigte und legitimierte.

Aber es bedurfte – durch Massenmedien kolportiert – weiterhin tragischer Beispiele berühmter Schauspieler und anderer populärer Identifikationsfiguren oder herausragender Leistungen behinderter Menschen auf primär wissenschaftlichen [also der Allgemeinheit nützlichen] Gebieten, um beeinträchtigten Menschen einen Platz – einen »Lebensraum« – innerhalb der sozialen Gemeinschaft zu sichern. – Wie groß der Unterschied zwischen einem schwerstbehinderten Nobelpreisträger und einem spektakulär verwachsenen Menschen auf einem Jahrmarkt des 19. Jahrhunderts für die Allgemeinheit tatsächlich ist, bleibe dahingestellt. Und ebenso müßig ist die Diskussion, wie viel die Gesellschaft heute für Schwerbehinderte tut, nur um vergessen zu machen, daß sie sich ihrer vor siebzig Jahren – ein Sekundenbruchteil in der Menschheitsgeschichte! – im Namen von Rasse und Evolution mittels Herzinjektionen, durch soziale Diskriminierung und mangelnde medizinische Versorgung entledigte.

Bedeutungswandel Einen tiefgreifenden Bedeutungswandel vom Schicksal zur Chance – und somit zum verfassungsmäßig garantierten Anrecht auf gesellschaftliche Partizipation – erfuhren Behinderungen – mittlerweile medial in »Handicaps« umgetauft – erst in den letzten beiden Jahrzehnten des 20. Jahrhunderts. Diese Zeitspanne wird von zwei völlig unterschiedlichen Definitionen der Weltgesundheitsorganisation markiert: 1980 veröffentlichte die WHO die »International Classification of Impairments, Disabilities and Handicaps«. Dieses Schema ging von der Beeinträchtigung der jeweiligen Person aus, also dem Unterschied zwischen dem »Behinderten« und dem »Nicht-Behinderten«, und spricht von psychischen, physischen oder anatomischen Schäden, Fähigkeitsstörungen aufgrund der betreffenden Schädigung und sozialer Benachteiligung, die aus der Schädigung oder Fähigkeitsstörung resultiert.

Damit werden die Defizite eines Behinderten in einem sozialen Funktionalsystem benannt, dessen Norm die Nicht-Behinderung darstellt. »Politisch korrekt« war dies bei weitem nicht, aber immerhin der Beginn eines Nachdenk- und Nachfühlprozesses.

1999 schwächte die Weltgesundheitsorganisation ab: »International Classification of Impairments, Acitivities and Participation. A Manual of Dimensions and Functioning« nennt sich das verbindliche Raster. Dabei geht es nicht mehr um die Beeinträchtigung einer gehandicapten Person, sondern um ihre relevanten Fähigkeiten und Möglichkeiten der sozialen Partizipation. Ausgehend von der psychischen, physischen und anatomischen Beeinträchtigung werden die vorhandenen Defizite als »Möglichkeiten« interpretiert. Man unterscheidet: Activity [Möglichkeit für den Betroffenen, trotz der Beeinträchtigung eine persönliche Verwirklichung zu erreichen], Participation [Grad seiner möglichen Teilnahme am sozialen Leben] und Kontextfaktoren, also in welcher Umwelt der Betroffene lebt, welche Einstellung sie zu Behinderten hat, ob sie mental und wirtschaftlich in der Lage ist, sie zu integrieren, sei es durch spezielle Einrichtungen, sei es durch bauliche, infrastrukturelle oder sozial- und arbeitsmarktpolitische Maßnahmen.

Die revidierte Klassifikation zielt darauf ab, die Schicksalshaftigkeit der Beeinträchtigung in Relation zum Lebenskontext des Betroffenen zu setzen und somit zu entabsolutieren. Eine Behinderung besteht demnach nur dann, wenn die Umwelt auf sie nicht optimal eingehen und der Betroffene sich innerhalb seines sozialen Lebens nicht seinen vorhandenen Fähigkeiten gemäß entfalten kann.

Kosmetik   Mittlerweile wurde – zumindest in demokratischen Ländern – dem Überlebenstrieb der Spezies die Toleranz gegenüber dem Individuum per Gesetz übergeordnet. Die wankelmütige Nächstenliebe ist an die Leine der Legislatur genommen. 2006 beschlossen die Vereinten Nationen eine Behindertenkonvention zum Schutz der Rechte von Menschen mit Beeinträchtigungen. Auf 650 Millionen wird ihre Zahl weltweit geschätzt. Die unterzeichnenden Länder verpflichten sich, die Beschlüsse in ihr nationales Recht umzusetzen und bestehende Gesetze anzupassen. Die Gleichstellung von Behinderten in Bildung, Arbeitswelt und kulturellem Leben sowie das Recht an eigenem und ererbtem Besitz, das Verbot der Diskriminierung in der Ehe, das Recht auf Nachkommenschaft [Zwangssterilisation, die noch lange nach den aufgedeckten Greueln des NS-Regimes weltweit praktiziert wurde] sollen jenen, die bislang auf das Wohlwollen ihrer Mitmenschen angewiesen waren, ein Gefühl von Sicherheit und Autonomie geben. [Oder zumindest den Eindruck einer solchen schaffen.] Von steuerlichen, versicherungs- und pensionsrechtlichen Belangen und integrativen Maßnahmen bis zu baugesetzlichen Verordnungen reicht das Ratifizierungsspektrum der UN-Konvention. Neue Sprachregelungen sind gefunden: Den »Invaliden« [lat. »der Ungültige«] gibt es nicht mehr. »Krüppel« und »Mißgeburt« – im Spanischen auch »minusválidos« [»Minderwertige«] – gehören der verbalen Vergangenheit an. [Auch der gedanklichen, der mentalen?] Heute »benutzt« man einen Rollstuhl und ist nicht mehr an ihn »gefesselt«. »Kognitive« klingt allemal besser als »geistige Behinderung« [vor allem, weil sich die breite Masse darunter nicht viel vorstellen kann ...]. »Down-Syndrom« und »Trisomie 21« – samt den dazugehörigen erbitterten Begriffsstreitigkeiten – ersetzen das umgangssprachliche »Mongoloid«.

Initiativen wie »Austic Pride« wollen die Pathologisierung von Autismus – die neue Terminologie spricht von »Besonderen Kindern« – verhindern und proklamieren, es gebe keine ideale Hirnstruktur des Menschen. Der klinischen Medizin mit ihren vorschnellen Vergröberungen und Klassifizierungen wird die Annahme unterstellt, alles von der Norm Abweichende bedürfe der »Heilung«, also der Anpassung an die Norm. [Doch sichert dies dem Autisten sein Überleben auf »freier Wildbahn«?] Stellenausschreibungen enthalten zwingend den Passus, daß bei gleicher Eignung Behinderten [und Frauen!] der Vorzug gegeben wird. [Einmal ehrlich: Kennen Sie einen schwerbehinderten Universitätsprofessor oder einen Aufsichtsratsvorsitzenden mit schweren zerebralen Störungen? Oder lassen Sie mal Ihrem Reizdarm-Syndrom, über das die WHO ihre schützende Hand hält, bei einem Bewerbungsgespräch freien Lauf!] »Betreutes Wohnen« und »Geschützte Werkstätten« schaffen Reservate, bei denen die Unterscheidung zwischen »Lebensraum« und »Ghetto« oft schwerfällt.

Regelmäßig machen »Paralympics« staunen über die großartigen Leistungen, die Menschen mit Beeinträchtigungen vollbringen können. Manche sind FAST so gut wie nichtbehinderte Sportler. Im Sport feiert sich der Mensch in all seinen Möglichkeiten. Auch seinen eingeschränkten. Bewundernswert diese beeinträchtigten Menschen, die es trotz ihres Schicksals so weit gebracht haben, fast wie WIR zu sein! Aber WIR sind das Maß der Dinge. Nach wie vor. An unseren Fähigkeiten messen wir die ihren. Und tief in uns bewundern wir nicht die sportliche Leistung der Behinderten, sondern die vorgeleistete Überwindungsarbeit, die es ihnen gekostet hat, diese Leistung zu erbringen, und von der WIR, die »Normalen«, hoffen, daß sie uns nie abverlangt werden wird. Aus ihrem Anblick schöpfen wir insgeheim die Hoffnung, daß wir nicht gänzlich lebensuntüchtig werden, ausgeschlossen von der menschlichen Gemeinschaft, zur Einsamkeit verdammt, wenn auch an uns einmal die Natur ihre Willkür übt. Das rüstet uns mental für den »Ernstfall«.

Bestien an der Kette Indem sie ihm die Unterdrückung seiner Triebe abverlangte, um im schützenden Rahmen einer Zweckgemeinschaft zu existieren und nicht länger dem wildernden Chaos der Natur überantwortet zu sein, und indem ihn die Notwendigkeit der Unterordnung und Anpassung zur fortwährenden Bedürfnisan- und Willensabgleichung, also zum steten Kompromiß zwischen sich und seinen Rudelgefährten zwang [Kompromisse sind nur geteilte Unzufriedenheiten!], hat die Zivilisation den Menschen zur verschlagenen Bestie gezähmt.
Die Hüllkurve aus humanitärer Gesinnung und kollektivem Verantwortungsbewußtsein ummantelt seine vorzivilisatorische Trieb- und Instinktnatur nur unzureichend. In Krisenzeiten regt sich dieser schizothyme Wesenszug, in elementaren Gefahrensituationen [Feuer, Erdbeben ...] bricht er sich Bahn. Mag die Menschheit intellektuell auch das 21. Jahrhundert erreicht haben, ihre Gefühle hinken mindestens zwei Jahrhunderte, ihre Instinkte mehrere Jahrtausende nach.
Nicht freiwillig ist der Mensch Beziehungen mit anderen eingegangen, sondern aufgrund seiner physischen Defizite, seiner unzulänglichen Konstitution, seiner mangelnden individuellen Überlebensfähigkeit. Der wechselseitige Nutzgedanken prägt das Zusammenleben. So bleibt die vorbehalt-, die schranken-, die selbstlose Nächstenliebe eine Gefühlsikone, eine Illusion. Denn das »Liebe deinen Nächsten wie dich selbst« setzt voraus, daß der einzelne sich selbst liebt. Doch wie kann sich ein von Natur aus a-soziales Wesen selbst lieben, das durch seinen Zivilisationszusammenhang, sein notgedrungenes, sein verordnetes Mitmenschentum, in seinem individuellen Triebleben und in der Realisierung seiner persönlichen Begierden beeinträchtigt ist? Der Gesellschaftsvertrag

bricht das Tötungsverbot innerhalb der Spezies, bricht das Bedürfnis des einzelnen auf uneingeschränkte Selbstverwirklichung und Triebharmonisierung auf das naive Mantra eines zwischenmenschlichen Stillhalteabkommens herunter: »Was du nicht willst, daß man dir tut, das füg' auch keinem anderen zu.« Zur Liebe reicht ein solches Agreement aber noch lange nicht. Es legt lediglich unzufriedene und unbefriedigte Bestien an die Kette.

Sollbruchstellen   Mit Thilo Sarrazins »Deutschland schafft sich ab« ist 2010 die ethische Demarkationslinie überschritten worden, die seit der Aufdeckung der NS-Verbrechen dem kollektiven Denken und Fühlen in demokratischen Ländern eingezogen wurde. Länger schon hat die zu political correctness – also zur sozialen Beißhemmung – [zwangs]verpflichtete europäische Gesellschaft innerlich gegen die Denk- und Gefühlstabus aufbegehrt, die ihnen die Geschichte als Buße für die Kollektiv- oder zumindest Mitschuld am Dritten Reich auferlegt hat, und innerhalb der demokratischen Rahmenbedingungen an der Leine gezerrt, die sie an den Pflock des Zivilisationsreglements bindet. Die alten Sollbruchstellen zwischen Normalität und A-Normalität, Nützlichkeit und Nutzlosigkeit für die Gemeinschaft pausen sich wieder durch.
Sarrazins Konglomerat aus einseitig interpretierten offiziellen und offiziösen Statistiken und vergorenen Verschwörungstheorien, gewürzt mit der brachialen Kurzschlußlogik von Stammtischen, legitimiert unter dem Motto »Es muß endlich mal gesagt werden!« wieder die Artikulation von jahrhundertealten angstbasierenden, von instinktdiktierten Vorurteilen jenseits des »Gutmenschlichen« in Form von guturalen Urlauten, die grammatik- und synatxlos aus dem Bodensatz der Sozialinstinkte blubbern. Man gönnt sich ja sonst nichts, dann wenigstens die ungeschminkte, die ungefilterte Wahrheit!
In bestem Managementdeutsch, das in seiner apodiktischen Kälte und unter Vortäuschung, Sachverhalte zu benennen, Alfred Rosenbergs NS-Fibel »Mythos des 20. Jahrhunderts« in nichts nachsteht, deklamiert der ehemalige Bundesbank-Vorstand die Handicaps des neuen Jahrtausends: die Ungnade, nicht an jenem Ort zu leben, an dem man auch geboren ist, und die Luft mit jener Ethnie zu teilen, der man seinen Genen nach angehört. Fünfundsechzig Jahre nach Niederschlagung des NS-Regimes werden Abstammung und Herkunft, genetische Konstitution und soziale Determination der Person – also Lebenskomponenten, die sich niemand aussuchen kann – zu Todschlagargumenten im sozialen und wirtschaftlichen Diskurs.

Herkunft als Handicap Sarrazins Thesen zwängen den Menschen in das darwinistische Korsett seiner umweltlichen Prägung zurück. Ihr solides Fundament – und somit ihre Scheinlegitimation – haben sie in der Volksmentalität. In Zeiten instabiler Wirtschaftsverhältnisse und dem damit verbundenen Aufweichen von Gesellschaftsstrukturen sitzt die Angst vor sozialem Abstieg und einem Abdriften an die gesellschaftliche Peripherie tief. In solch verunsichernder Situation eskalieren die natürlichen Bedürfnisse des Menschen nach Absicherung rasch zur Abgrenzung, deren Ursprünge in der archaischen Reviersicherung und der urzeitlichen Verteidigung des Lebensraums liegen. Doch nicht allein gegen Zuwanderer aus anderen Kulturen richten sich diese Verhaltensmechanismen, sondern spalten die eigene Ethnie. Wer es sich leisten kann, sorgt für sich und seine Brut vor. Von der Lebensversicherung bis zur Ausbildung reicht die Palette der Maßnahmen. Schon die Wahl des richtigen Kindergartens ist bedeutsam für die Stellung der Lebensweichen.

Stand bislang das allgemein verbindliche Schul- und Bildungssystem für Chancengleichheit abseits sozialer Klasse und Herkunft, so erhalten Kinder von wirtschaftlich besser Gestellten mittlerweile eine andere Ausbildung als Kinder aus finanziell schwächeren Familien. Den einen ist schon durch ihre Geburt und die finanzielle wie gesellschaftliche Potenz ihrer Altvorderen der solide Grundstein für eine berufliche [und somit wirtschaftlich gesichertere] Zukunft gelegt, während die anderen die Verhältnisse, in die sie hineingeboren wurden, fortsetzen müssen. In wissenschaftlichen Hochleistungskursen, in Geigen- und Klavierstunden und bei pädagogischen Museumsbesuchen werden Jungtalente und Frühgenies generiert, immer früher der kindlichen Mentalität Elitebewußtsein implantiert. Kostspielige Statussymbole ersetzen individuelle Persönlichkeitsbildung, Clanzugehörigkeit soziale Kompetenz. Unterfutterung erhält dieser Trend durch die Medien, die die neuen »Tugenden« des 21. Jahrhunderts proklamieren: Karriere, Erfolg, gesellschaftliche Anerkennung und Establishment. Mittlerweile wollen Wissenschaftler aus Boston sogar herausgefunden haben, daß Kinder, die in der Nähe von vielbefahrenen Straßen und Kreuzungen – tendenziell Biotope schlechtergestellter Bevölkerungsschichten – aufwachsen, durch die erhöhten Abgaswerte in der Atemluft einen bis zu drei Punkte niedrigeren Intelligenzquotienten aufweisen als Altersgenossen in Wohngegenden mit sauberer Luft. Ruß- und Staubpartikel sowie andere Schadstoffe wirken sich beeinträchtigend auf Gehirntätigkeit und Nervenzellen aus.

Schädlichen Einfluß auf die geistige und physische Entwicklung haben Sorgen, Nöte, sozialer und familiärer Druck sowie chronischer Streß, die aufgrund der Schwankungen des Arbeitsmarktes verstärkt in Familien mit niedrigerem Einkommen auftreten. Solche Belastungen verändern die Arbeit der Neurotransmitter, behindern die Bildung neuer Nervenzellen und tragen zu einer Schrumpfung des Hippocampus bei. Untersuchungen der Cornell University im amerikanischen Ithaca alarmieren: Kinder aus armen Familien mit erhöhtem sozialen, wirtschaftlichen und psychischen Streßpotential schneiden bei Gedächtnistests um zehn Prozent schlechter ab als Kinder aus der situierten Mittelschicht.

Was schon immer ahnbar war, findet mittlerweile wissenschaftliche Fundierung: Die kognitiven Fähigkeiten des Menschen spiegeln seine Umwelt wider. Wandelt sich diese zum Positiven, steigt auch der Intelligenzquotient des einzelnen. – Behinderungen sind, wir wissen es, ein Resultat des Systems. Doch nichts ist – das wissen wir ebenfalls – so schwer zu verändern wie das System selbst.

Die eigentliche Geschichte   Trotz aller UN-Resolutionen, aller Gesetzgebungen und Verordnungen bleibt die Existenz von physisch, psychisch und durch ihre ethnische bzw. soziale Herkunft behinderten oder beeinträchtigten Menschen ungesichert, solange der Mensch im Dilemma von Gemein- und Eigennutz lediglich Wohltaten im Hinblick darauf erweist, ihrer selber einmal zu bedürfen.

Wie brüchig das Vertrauen des einzelnen gegenüber gesellschaftlichen Verabredungen zum Schutz von A-Normen ist, zeigt sich in der Zunahme von Angststörungen und Panikattacken vor allem in der [statistisch leichter erfaßbaren] westlichen Leistungsgesellschaft. Mittlerweile hat jeder sechste – man spricht bereits von den Auswirkungen dieser Störung auf den Arbeitsmarkt und die Volkswirtschaft – Erfahrungen mit jenem quälenden Gefühl gemacht, ohne physischen, anatomischen oder organischen Grund in der Öffentlichkeit ohnmächtig zu werden oder gar vor den Augen seiner Mitmenschen zu sterben, sich also vor ihnen eine Blöße zu geben, eine Schwäche zu zeigen, a-norm zu sein.

Denn wir glauben zu wissen: Auf die Hilfe unserer Artgenossen können wir nicht zählen. Und werden es solange glauben, bis wir uns endlich – endlich! – eingestehen: Sie auf die unsere auch nicht. Dann, vielleicht dann kann die eigentliche Geschichte der Behinderungen geschrieben werden. Als Geschichte der eigentlichen Behinderungen. Und der wahren Chancen.

Friederike Mayröcker :

handicap, oder 1 Stufe geht ja noch, 2 sind 1 Berühmtheit

das lila Osterfest 1985, behutsam kroch sie aus dem Wagenschlag,
man bot ihr Hand und Arm, solch lila Begängnis im Schwarzenberg-
garten, wo sie als Kind mit ihren Geschwistern gespielt hatte, sie
versucht 1 paar Schritte ins lila Gras, sinkt auf die nächste Park-
bank, die lila Verstecke, ihr mühsames Lächeln zum lila Himmel, die
lila Veilchen am Wiesenrand - so die wundertätige glorreiche Mutter,
damals. Viele Jahre später die Tochter, handicap oder gekapertes
Händchen, Füszchen, krepiertes Hörvermögen, das Augenlicht einge-
schneit. Das Regredieren zum Kleinod, der Zahnersatz, man bevorzugt
die Niederflur Garnituren, statt eines Gehstocks den Regenschirm,
"love me love my umbrella" (James Joyce), die betroffenen Blicke der
Nachbarschaft, die Zofen der linken Hüfte, der verlegene hinkende Gang
("bitte keine OP"), die Überwindung der mehreren Stufen zum Änderungs-
schneider nicht zu bewältigen, noch 1 x die Fliederbüsche, den Löwen-
zahn im verdreckten Rasen, das stille Jauchzen bei John-Dowland-Musiken
das blühende Alterswerk, die Stoszgebete der hl.Geist , das Irrlicht
einer letzten Verliebtheit, die Tränen bei Nacht

14.4.2o1o

Claudine
Jüptner
Linda,
sieben Jahre.
Therapie-
protokoll

Linda ist sieben Jahre alt, als ihre Pflegemutter, bei der sie seit drei Jahren untergebracht ist, wegen zunehmender Schulschwierigkeiten um Hilfe bittet. Wenn Linda eine Aufgabe nicht richtig löst, gerät sie in Wut, weint. Das ist alles so intensiv, daß sie sich damit im Lernen blockiert. Mit dem Schwimmen-lernen sei es das gleiche. Sie sei darüber sehr unglücklich. Ihre Leistungen sinken zusehends trotz gutem Zureden ihrer Pflegefamilie, bei der sie sich übrigens sehr wohl fühlt. Sie schläft schlecht und ist leicht irritierbar. Mit ihren sprühenden Augen strahlt sie eine Art Schönheit der Seele aus, die mich sehr berührt, so daß ich mir denke, ich möchte sie nicht mit irgendwelchen Interpretationen verunstalten. Um dieses etwas sonderbare Gefühl, das als Gegenübertragung zu verstehen ist, soll es hier gehen. Linda wird mir sehr schnell zeigen, wie diese Gefühlselemente zu verstehen sind.

Nach dem ersten Gespräch mit ihrer Nani schlage ich vor, zwei Tests – Wisc[1] und T.A.T.[2] – mit Linda zu machen, dann darüber zu sprechen, um zu ent-scheiden, welche Hilfe für Linda die richtige sei. Die Tests zeigen eine ins-gesamt normale Intelligenz, aber mit verschiedenen Blockaden durchsetzt, sowie Ängste, die mich an sexuelle Traumata erinnern. Die Nani bestätigt, daß in wenigen Wochen ein Prozeß wegen der sexuellen Mißhandlung ihres Bruders stattfindet, und daß auch ein Verdacht auf sexuelle Mißhandlung Lindas vorliegt.

Es wundert mich deswegen wenig, daß sie in der Situation face à face sehr befangen ist, ohne die Anwesenheit ihrer Nani, die an ihrer Stelle erklärt, was sie schmerzt, welche Erlebnisse in der letzten Zeit stark auf sie einwirkten. Während dieser ersten Sitzung ohne äußere Hilfestellung weiß Linda nicht, was sie sagen oder tun soll. Also erinnere ich sie an die Rahmenregel: Sie könne sagen, was ihr durch den Kopf geht, Spielzeug nehmen, um sich aus-zudrücken, genauso wie malen oder kneten. Sie fragt mich nach meinen Auf-zeichnungen. Ich erkläre ihr, daß ich manches von dem aufschreibe; was wir uns sagen oder tun, daß es mir bei der Arbeit hilft zu denken, und vor allem, daß wir uns so an die Sitzungen erinnern können, auch in vielen Jahren, falls sie das möchte. Meine Notizen blieben mit ihren Zeichnungen in der Mappe, und keiner habe zu ihnen Zugang, nur sie und ich. Sie scheint erst wirklich beruhigt zu sein, als sie meine unleserliche Schrift nicht entziffern kann. Nun beginnt sie zu malen, streicht aber sogleich das Gezeichnete wieder durch,

---

1] Intelligenztest für Kinder
2] Projektiver Test

da es ihr nie gut genug erscheint. Schließlich nimmt sie ein neues Papier, ihre Augen glitzern schelmisch, sie setzt sich mir genau gegenüber und imitiert mich: Sie schreibt.

»*15.4.07: Hier schaue ich Bilder an, und wir werden sie nochmal gemeinsam ansehen.* [Sie meint den T.A.T. – thematic apperception test –, den ich mit ihr zu Beginn der Behandlung gemacht habe, da mir die Situation zu zweit für sie zu beängstigend scheint. Sie hatte mich gebeten, einige der Tafeln nochmals ansehen zu dürfen; es sind eher die, die sie ängstigten]. *Ich male. Und manchmal sprechen wir mit meiner Nani. Meine Bilder* [darunter fügt sie hinzu:] *und auch meine Worte, können immer richtig sein.* [Ich hatte ihr das auf ihr ärgerliches Durchstreichen ihrer Zeichnungen geantwortet.] *Aber manchmal gibt das Gedanken über die Dinge, aber ich mag* [Sie streicht »den Psychologen« wieder durch.] *das C.M.P.P.*[3] *gerne. Träumen von dem man ist, ist hier nicht schwer. Und wir machen, wie es hier am besten für mich ist. Und ich soll raten, und sie sagt mir, wie du denkst.* [Hier spielt sie auf meine Antwort auf ihre Frage an, wie man dies oder jenes Wort richtig schreibt. Ich antwortete ihr, daß das hier nicht wichtig sei, und daß sie die Wörter so schreiben kann, wie sie sie denkt.] *28.4.03 geheim*«

Sie unterschreibt mit ihrem Vor- und Nachnamen. Sie bittet mich, das von ihr Aufgezeichnete nicht zu lesen, so wie ich ihr die Regel Dritten gegenüber erklärt hatte. Als sie mit mir zwei Jahre später ihre Bilder durchsieht, sagt sie, ich solle diesen Text lesen, wenn ich möchte. Sie stellte sich an dem Tag die Frage, ob sie noch die therapeutische Hilfe benötige oder nun alleine zurechtkäme.

In der folgenden Stunde schreibt sie eigenständig folgendes auf, ohne daß ich diesmal von ihr wie im Spiegelbild imitiert werde: Sie ist eher aktiv und initiiert ihr Schreiben wie ein ernstes Spiel mit zwei gleichgestellten Partnern. »*Ich denke, daß sie mir sehr helfen möchte. Ich glaube, sie möchte wissen, was ich schreibe. Eines Tages werden wir einen Satz machen, und das mag ich. Es ist leichter, eine andere zu sein. 13.5.07*«

3] C.M.P.P. Centre Medicopsychopédagogique, Ambulanz für Therapie von Kindern und Jugendlichen in Frankreich

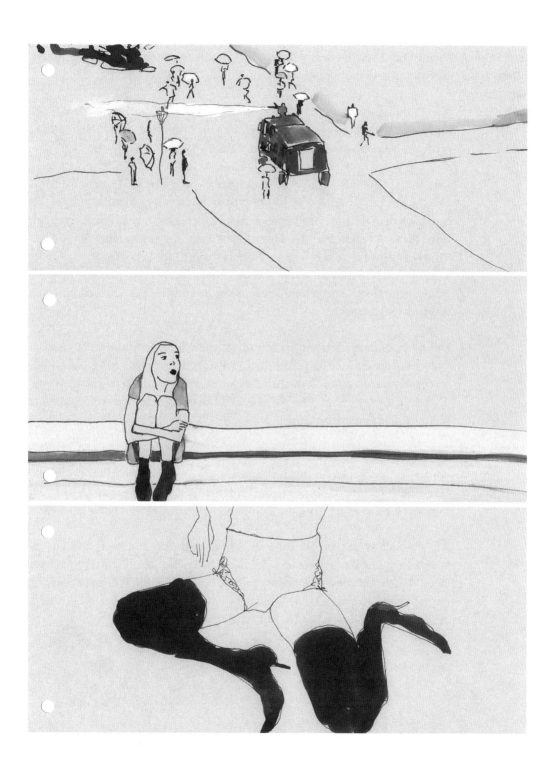

Mir fallen immer komische Miniaturen und Figuren zu unseren Treffen ein. Unser Näherkommen. Der wilde Sturm während unseres Weges durch die Innenstadt, begleitend zum Verschwinden des Mondes. Wir haben uns erstmals geküßt, in monddunkler Nacht, die Gestirne waren aus der Bahn.

Ich glaube, vorher im Café Prückel, in der Zeitung, die bei uns auf dem Tisch lag, stand sogar etwas in der Schlagzeile von magischer Liebesnacht etc. Es schien mir ungünstig, darauf hinzuweisen.

Das mit Columbus und den Häuptlingen – ich bin nicht sicher, ob die Geschichte verständlich war. Columbus soll ja bei einer Mondfinsternis, die ihm nach dem Kalender im voraus bekannt war, einheimische Indianerhäuptlinge bei sich versammelt haben und ließ dann zur bestimmten Stunde den Mond verschwinden – als Demonstration seiner Macht. Die Häuptlinge waren beeindruckt, Columbus wußte das auszunutzen. Wie war das bei uns: Ich glaube, ich war beides, Columbus, der etwas im Schilde führt, und staunender getäuschter Häuptling.

Dann bei unserem letzten Treffen die verschwundene Stunde, die uns das ganze Wochenende bitter gefehlt hat. Vielleicht hätte es eine magische Stunde sein müssen, um zumindest manches von dem zu enthalten, dessen Abwesenheit uns jetzt trennt. Die nächste Zeitumstellung werden wir wohl nicht mehr gemeinsam erleben.

Unsere wenigen Verabredungen werden immer komplizierter. Nicht nur wegen der unterschiedlichen Muttersprachen. Unsere häufigen sprachlichen Mißverständnisse bis hinein ins Sexuelle. Plötzlich hängt immer alles an ein paar Worten. Und man ist nie ganz sicher, ob beide dasselbe verstanden haben.

Als ich Dich fragte, ob Du mir einen herunterholen könntest, und Du gezögert hast, und das dann anders gemacht hast – wofür ich Dir sehr dankbar bin –, dachte ich komischerweise am Anfang: Du hast die Wörter vertauscht, deshalb hast Du gezögert, der Gedanke schien mir herrlich – ein Sprachenmißverständnis, durch das Du mir einen geblasen hast.

Das Handicap hat schon eine schwere Geschichte und heute noch einen schweren Stand. Dabei handelt es sich mutmaßlich um eines der größten Mißverständnisse, wenn wir von einem glücklichen Leben nur sprechen, wenn es von allen Makeln bereinigt ist. Die meisten Menschen ohne Behinderung glauben, sie seien glücklicher als solche mit Behinderung. Das Gegenteil ist der Fall. Der Fall ist, daß das Handicap das Zeug zum *Glücksein* hat. Vorbei die Zeiten im Mittelalter, wo Frauen mit körperlichen Behinderungen noch als Hexen verbrannt wurden, vorbei die Zeiten, wo das Handicap meist Mitleid erregt, obwohl wir seit Nietzsche wissen, daß dieses nur das Leid vergrößert. Es gibt einen Grund dafür, und der heißt Perfektion.

Klaus Kufeld

Ein Handicap, ein Segen – Gedanken über das Glücksein

Der Drang der modernen, hochtechnisierten, hochzivilisierten [will heißen: verstädterten[1]] Menschen ist es, die perfekte Welt herbeizuzaubern. Obgleich sie – für gewöhnlich – »utopisch« dann etwas bezeichnen, wenn sie es für nicht erreichbar halten, bleibt ihr Bestreben – für gewöhnlich – auf das Utopische ausgerichtet, einen Zustand vollkommener Makellosigkeit. Reichtum, Schönheit, Erfolg, Glück; Vorstellungen, in diesen Zustand zu kommen. Dabei lasse ich einen Moment beiseite, daß es – für gewöhnlich – Menschen gibt, die den Reichtum und die Schönheit[2] sogar noch über das Glück stellen [freilich ohne es sich eingestehen zu können, weil Reichtum/Schönheit und Glück zur Synonymität tendieren], und den falschen, weil eingebildeten Charme des Materiellen und Sichtbaren über das Psychische und Unsichtbare.

Was das schon ist: Glück! Eine Idee, eine Vorstellung, eine Bewirkung, gar ein Zustand? Oder die Idee, die Vorstellung von einem Zustand? Anzukommen, wo man nichts mehr wünschen muß, wo endlich Ruhe ist? Die Physik der Trägheit des Körpers gibt hier den Ton vor und suggeriert dem Geist, ihn – also sich selbst – in den Zustand der Trägheit zu versetzen, wo jeder Schmerz, jede Muskelanstrengung, jeder Konflikt ausgeschlossen sind. So haftet jedem noch so dynamischen Geist subkutan ein Zustandsdenken an, um zur Ruhe zu kommen, sich dann wenigstens frei zu fühlen, frei von Unruhe. Zustände haben diesen schlaraffenlandhaften Zauber des Nichtsmehrtunmüssens, nur die Glieder von sich zu strecken und das Maul aufzumachen. Zustände sind wie das in der Fotografie mögliche Verweile-doch-du-bist-so-schön-Syndrom der eingefrorenen, bewegungsfreien Glückseligkeit. Schon immer haben die Menschen ihr Glück in einen Zustand hineinprojiziert: Thomas Morus' *Utopia* ist der perfekt organisierte Staat, wo alles, was sonst noch ein

---

1] Zivilisation, verstanden als Hinwendung des wilden Menschen zur Stadt, von lat. civitas
2] Hier den Begriff »Beautyismus« geprägt. Siehe: Klaus K. Rottaler, Beautyismus. Eine Glosse zur »Schönen neuen Welt« der Schönheit; Hypochondria, Edition Splitter, Wien 2004

Bedürfnis war, bereits vorbefriedigt ist; der *Sonnenstaat* Campanellas, wo die Vorsehung Gottes in die Hormonregulation der Menschen injiziert ist; der kommunistische Staat, wo Ausbeutung und Entrechtung aufgehoben sind und alle Menschen gleichen Rangs. Alles was stört und benachteiligt, ist abgeschafft, so wie man die lästige Fliege vertreibt, die beim »Zeitunglesen« stört.

Die Menschen lieben die Zustände auch heute noch, auch wenn sie wissen, aus der Geschichte oder auch nur aus der Lebenserfahrung, daß sie unerreichbar sind, die festgehaltenen Augenblicke der Gegenwart, gar der Zukunft. Wellness, Urlaub, Hängematte, Sitzenbleiben, das sind die intendierten Trägheitspolster des Zustandsdenkens, auf das all unser Streben gerichtet ist, das des Körpers und sogar das der Gefühle. Manche Menschen, die nicht wissen, wie es ihnen gut gehen kann, sehnen sich sogar nach dem Grab. Nicht umsonst hat Albert Camus den Selbstmord, die gesehnte Ruhe, als das »wirklich ernste philosophische Problem« bezeichnet. Wir lernen auch nicht daraus, dem Zustandsdenken den Rücken zu kehren, selbst wenn wir wissen, daß wir von ihm systematisch getäuscht werden. Wer den Zustand als Ziel herbeisehnt, kann nicht Freund werden mit Bewegung, gar Veränderung. Es sei denn, man verändert, um Zustände zu bewahren, den Zustand der Jugend, den Zustand der Schönheit, den Zustand der Gesundheit, den Zustand des Glücks. Jedoch münden diejenigen, die das Geld haben, um diese Utopien zu verwirklichen, unaufhaltsam in Langeweile, die im englischen *boring* auch das Wesen des Ärgernisses lüftet. Sobald ihnen nämlich nichts mehr fehlt, fehlt ihnen alles: Glück, als Zustand unerreichbar.

Das Handicap, das man nicht einfach hat, gar schicksalhaft, sondern trägt, annimmt, einbezieht, dieses Handicap ist *da*gegen ein Segen. Denn es zwingt zur Abkehr vom Zustandsdenken, es zwingt zur Anpassungsleistung und zur permanenten Veränderung. Es ist alles, nur keine Behinderung. Behinderung nämlich wovor? Daß alles glatt gehe? Was glatt gehe? Wo doch nicht glatt geht, was nicht glatt gehen sollte. Das Handicap bewahrt vor der Illusion, daß alles glatt geht. Es ist eine Art Versicherung gegen die Perfektion, eine Art Sicherung für rechte Verhältnisse, die nicht im Niveau wahr sind, sondern in der Asymmetrie. Die Asymmetrie, das schiefe Verhältnis zur Norm, ist es nämlich, die in der Flachheit des Lebens das Gefälle schafft und aufrechterhält und dem Gesetz der Trägheit trotzt. So als würde man sich sein eigenes abschüssiges Gelände bauen, um nicht aufhören zu können, das Prinzip der Berg- und Talfahrt zu üben. Das Handicap ist der Knoten im sonst makellos gesponnenen Faden, der Knoten, der – nach dem Philosophen Ernst Tugendhat – einen »Warum-Stopp« provoziert.

Es gibt eine Metapher, die am stärksten von der handicapfreien Mentalität aufgeladen ist, und die heißt *Erfolg*. Erfolg als das zur Materialisation verdammte Glück, dem das Scheitern[3] innewohnt. Erfolg ist das aphrodisierende Zauberwort des menschlichen Strebens, das auf Sichtbarkeit, Zeigbarkeit und Fühlbarkeit abhebt. Es ist eine Art utopische Aussicht auf die materialisierbare Wirkung des Vermögens der Kräfte, die man an den Punkt der Perfektion treibt. Es mobilisiert Kräfte, die sogar Opfer schwerwiegendster Art in Kauf nehmen. Unvernünftig heißt man das zwar, wenn einer sich tot arbeitet und dabei für den Verlust der Familie blind bleibt, aber als stärker erweist sich die auf Erfolg abgerichtete Öffentlichkeit, die den Handelnden in seinem Streben bestärkt, indem sie ihn nur dann wahrnimmt, wenn er seinen Erfolg sichtbar macht. Er wird blind nicht nur für seine Familie, sondern für sich selbst. Denn auch sein Gefühls-/Leistungs-Haushalt kommt in die Schieflage der gesellschaftlich befriedigten Gratifikation, die seinem Menschwesen nicht mehr entspricht.

[Was Erfolg dieser Art ist, können wir auch aus der Weltfinanzkrise seit 2008 ablesen: Auf Teufel-komm-raus machen Banker Gewinne, die sie nicht gesellschaftlich verbuchen. Ihr Wirken entspricht dem geölten Getriebe der kapitalistischen Akkumulation von Werten, deren Mehrwert in »eigenen Taschen« landet. Die zweidimensionalen Fieberkurven der Börse machen den Geldhandel zur Sucht, weil sie den Blick auf das Auf fixieren und das Ab ebenso unterschlagen wie die Um- und Seitenwege auf der Horizontale. Erfolg ist, was zählbar ist im kompromisslosen Voraus. So wie der Soziologe Ulrich Beck die Globalisierung als von Menschen gestalteten Prozeß beschreibt, so ist auch die Finanzkrise kein blutleerer Mechanismus, sondern Ausdruck der in die Perfektion getriebenen Strebsucht nach individuellem Erfolg – unter der Tarnkappe der Prosperität der Wirtschaft –, ein Erfolg allerdings, der sich im System Wirtschaft als asozialer Gewinn darstellt – Gewinn ohne Rücksicht: keine Sicht zurück, nur nach vorn.]

Aber die Menschen, die Gesellschaft, alle Gesellschaften haben ein Handicap, das das Gewinnstreben einschränkt und behindert. Das Handicap sind die Schwächeren, diejenigen Menschen, die nicht mitsteuern, sondern sich vertreten lassen, durch Politiker in den Parlamenten. Die Menschen, die Gesellschaft, alle Gesellschaften, tragen jedoch das Paradox, daß ihr Handicap zu einem Glückträger wird. Jede politische Forderung, gleich welcher Art, berührt eine Fürsprache für existierende Benachteiligung. Ohne diesen Bezug machte keine politische Forderung Sinn und wäre purer Eigennutz oder Selbstzweck. Das

---

3] Was schon S. Freud in einem Essay »Die am Erfolge scheitern« beschrieb in: Freud, Sigmund: Studienausgabe, Bd. X, Bildende Kunst und Literatur, Frankfurt/Main 2000, 236 ff.

Handicap ist der Wahrheitsträger der Rechte der zu Unrecht Benachteiligten. Da nicht alle Menschen gleich sind und es auch nicht werden können, wird jeder sein Handicap ausfindig und geltend machen, sogar wenn es nicht mehrheitsfähig ist, noch.

Zurück zu dem für Glück gehaltenen Reichtum und zur Schönheit: Nur die Reichen und die Schönen, die vermeintlichen, haben keine Vertretung und dürfen, nein: haben sich um sich selbst zu kümmern, werden nicht geführt und nicht begleitet. Sie müssen sich um nichts scheren als um sich selbst, sie sitzen selbst am Steuer ihrer Geschicke, erfolgsabsorbiert. Vielleicht läuft deshalb so viel aus dem Ruder. Die Reichen und die Schönen, denen das Handicap ihr Selbstverständnis existentiell ins Wanken bringt, sind Undemokraten, ihr Ich ist die Regierung. Ich lese keine Klatschblätter, aber ich weiß, daß die Klatschblätter voll sind vom Unglück dieser Leute. Unendlich viele Scheidungen, Drogensucht, Exaltiertheiten, Ungezügeltheit, Magersucht, Angebertum, Zickigkeit, Neid, Exzesse, Geilheit. Es sind die wirklichen weil selbstverschuldeten Handicaps. Mit hochhackigen Schuhen ist frau buchstäblich nicht mit den Füßen auf dem Boden der Realität. Mit dem Z4 ist man buchstäblich nicht dem profanen Lauf seiner Zeit angepaßt. Und rauchen tun sie, die sie in aller Regel Gesundheitsbeter sind, alle heimlich. Und wir wissen auch, daß sie immer wieder heimgesucht werden vom ganz normalen Elend, das jeden einmal trifft: Krankheit, Enttäuschung, Liebesverlust, Schulden. Das klatschblätterlesende Volk reagiert mit Erbarmen – und liest weiter. Oder das Phänomen der Einsamkeit auf dem Höhepunkt der Beliebtheit der Stars. Schauen Sie ihnen in »Wetten daß …?« oder sonst wo einmal in die Augen, aber live!, dann sehen sie das Paradox der weltberühmten Einsamen. Sie, die Stars des Entertainments, der Politik und der Wirtschaft, sie haben es nicht gelernt – oder verlernt –, mit ihrem ganz normalen Menschsein umzugehen. Sie glaubten für eine ganze Weile, von jedem Makel befreit gewesen zu sein. Von *Glücksein* keine Spur.

Besinne sich also jeder auf sein Handicap! Ich sagte es schon, es ist ein Segen. Es ist ein Segen wie bei dem Liebenden, der nach Goethe nur wirklich liebt, wenn er die Schwächen mitliebt. Es ist eine Bewahrnis vor allzu großem, utopischem Glück, vor unausweichlich kommender Blindheit dem wirklichen Leben gegenüber. Werde sich jeder dessen und seiner bewußt. Vergessen wir die Schönheitskliniken, die Bodystudios und die Kompetenzzentren, die sie alle die handicaplose Gesellschaft propagieren – und den künstlichen Menschen erzeugen; die sie alle die Utopien mit Illusionen verwechseln – und ihrer Opfer werden.

[Es gibt hier so ganz pfiffige wie den Behindertensportler und Goldmedaillen-gewinner Oscar Pistorius. Der als »Blade Runner« bekannt gewordene Süd-afrikaner hatte weltweit Schlagzeilen gemacht, als er sich vor dem Internationalen Sportgerichtshof CAS in Lausanne gegen den Leichtathletik-Weltverband IAAF durchsetzte und seine Zulassung für Wettkämpfe der Nicht-Behinderten erwirkte. Die Qualifikation für Olympia in Beijing verpaßte er aber knapp. Er machte die Behinderung zu seinem Sport und mehr noch: Die (technische) Beschaffenheit seines künstlichen Beins verschaffte ihm ungeahnte Vorteile, mit denen er z.B. österreichischer Meister in 100-Meter-Sprint hätte werden können. Er trieb das Handicap sozusagen auf die Spitze. Er trieb es in die Sphäre des salon-mäßigen Erfolgs, so wie Dirk Bach seine Rundlichkeit, Karl Dall sein schiefes Auge, Helga Feddersen ihre Zähne, Mike Krüger seine Nase nicht nur zum physischen Markenzeichen, sondern zum psychologischen Geheimnis ihres Erfolgs gemacht haben. Von der Erotik eines Gérard Dépardieu oder einer Liza Minelli – alles keine Schönheiten – ganz zu schweigen. Die Handicap-Menschen sind alle Bekenntnis-Menschen. Bestimmt keine erbärmlichen Zuchtmeister von Illusionen wie Heidi Klum und Dieter Bohlen, deren Behinderung (...)]

Wehe denen, die ihr Leben von den Handicaps befreien! Oder nur danach trachten. Wohl denen, die ein einziges Handicap tilgen: die Hirnlosigkeit.

**Josef Trattner
time out**

Karl Riha
Ich bin mein Handicap

ich bin mein handicap
ich bin mein schicksal
ich bin meine chance

du bist dein handicap
du bist dein schicksal
du bist deine chance

er/sie ist sein/ihr handicap
er/sie ist sein/ihr schicksal
er/sie ist seine/ihre chance

wir sind unser handicap
wir sind unser schicksal
wir sind unsere chance

ihr seid euer handicap
ihr seid euer schicksal
ihr seid eure chance

sie sind ihr handicap
sie sind ihr schicksal
sie sind ihre chance

mein handicap
ist die chance
deines schickals

mein schicksal
ist die chance
deines handicaps

das handicap
meines schicksals
ist und bleibt deine chance

meines schicksals
chance ist und
bleibt mein handicap

aus der chance
meines handicaps
resultiert dein schicksal

dein handicap
ist und bleibt die chance
meines schicksals

handicap etc.
schicksal etc.
chance etc.

handi the cap
cap the handi
schick the sal

han di cap
chan di ce
schick di sal

cap di han
ce di chan
sal di schick

schick dein handi
dein handi ist schick
total schicki chan

1. Artefakt: Erste Gedächtnisspuren Ein Riß ging durch die Evolution. Im Michael Fischer Dunkel der prähistorischen Nacht war der animalische Gleichmut gegenüber **Kunst als** dem Tod erloschen. Mit dem ersten Grab waren ein erstes Werk, ein Artefakt **Schicksal?** und ein Symbol geschaffen: Ort und Verankerung! Das Abenteuer des sich **Über Kunst** kultivierenden, zivilisierenden Menschen begann. Werkzeuge kennen Tiere **und Existenz** auch, aber mit dem Grab war ein kommunikatives Symbol gesetzt für den beunruhigenden Dialog des Menschen zwischen dem Nichts und der Ewigkeit. Das Menschentier hatte den Vertrag mit der Evolution gebrochen: Es stellt die Frage nach dem Sinn! Der Mensch baut sich ein Leben anthropomorpher Projektionen. Die Natur ist nicht mehr bloß Ressource und fatale Geborgenheit, sondern auch der Ort, wo das »Andere« haust. Die bergende Welt der Natur bricht für den Kulturmenschen auseinander. Die Welt muß nun durch Kulturbedeutsamkeit und Zeitökonomie gekittet werden.

Venusstatuetten entstehen, Höhlenmalereien. Sie sind erfunden wie das Grab, liefern Bilder, in denen sich das Denken wahrnehmbar macht. Die Artefakte sind für die Nachkommenden auf eine ganz andere Weise gegenwärtig als etwa bearbeitete Feuersteinsplitter: Sinn und Bedeutung repräsentieren die einen, Instrumentalität die anderen. Differenzen brechen auf, unterschiedliche Wahrnehmungsprozesse von »Sein« und »Machen«.

Die Welt des Sinns kollidiert mit der Welt des »Machens«! Moderne Werkzeuge entstehen, Konstruktionen und Instrumentalität! Es gibt einen Willen des Machens zur Beherrschung der Natur, zur Erringung der Macht. Der Mensch macht sich Diener, vom Feuersteinsplitter bis zum Porsche, von der Keule bis zu Smart Weapons. Kausalität, Technizität, instrumentelle Vernunft, Zeit und Absicht sind daran beteiligt. Diesen steht ein Gebiet gegenüber, das den Menschen überfordert, trotz seiner funktional-technischen Perfektion. Die Zufälligkeit der Existenz schafft Probleme, ebenso die Unüberschaubarkeit unserer Lebenswelt. Hier ist der Mensch auf Kompensationen angewiesen, auf Interpretation und Deutung des Undeutbaren: Die Götter, der Tod, die nicht chronologische Zeit, die [evolutionäre] Geworfenheit in die Wildnis des Seins. Wie geht man mit dem Gebiet des Unverfügbaren, des Nicht-Instrumentellen, des Unbegreiflichen um, in dem Metaphysiken, Religionen und Künste wohnen, ohne es jemals zur Gänze auszufüllen?

Was die Tier-Menschen durch ihre Sinne wahrnehmen konnten, sind die Aspekte der Wirklichkeit, die sich im Laufe der Evolution für ihr Überleben als bedeutsam erwiesen haben. Mit dem Übergang des Menschen vom Natur- zum Kulturwesen kommt eine wesentliche Form hinzu: Die Anwendungsentwicklung der biologisch erworbenen Verstandesmodule in einer Umwelt, die nicht mehr nur aus natürlichen Gegenständen besteht, sondern aus Artefakten, also Wissen repräsentierenden Gegenständen und Informationen! Wenn der

Mensch Resultat der natürlichen Evolution ist, dann gibt es einen weiteren Horizont, wie etwas im Kopf entsteht und das Denken prägt: Nicht nur durch die Sinne im kurzen Leben eines Individuums, sondern auch durch die Gene im Laufe der Naturgeschichte. Der Mensch schwebt seitdem in der Doppelverankerung biochemischer und kultureller Gedächtnisspuren.

2. Zóon politikón und Weltkonstruktion Der Mensch, ordnend, denkend und auf Gemeinschaft angewiesen, das *zóon politikón*, weiß sich im Bewußtsein seiner Endlichkeit vom Abgrund einer anderen Natur bestimmt! Sicherheitshalber lädt er den Tod an die Tafel: Feuerstein, Gerät und Lebensmittel sind beigelegt, der Tote mit Ockerfarbe bestreut. Rot sichert, wie wir von den Naturvölkern wissen, Atem, Wärme, Leben. Wer den Tod leugnet, der leugnet [bis heute!?] den Kern der Natur, feiert aber den Menschen. Nahezu alle Mythen fokussieren in diesem Inhalt, in der tödlichen Geiselhaft der Zeit, die durchbrochen werden soll.

Ein weiteres Bewältigungsunternehmen der Domestikation der Wildnis ist das Opfer. Es ist eine vom Menschen geschaffene Institution, die den Schrecken blinden Tötens in gesellschaftliche Bahnen bringen soll. Denn das Opfer hat für die Gemeinschaft stabilisierende, identitätsstiftende Funktion, wie Walter Burkert in seiner Arbeit »Homo necans« erläutert. Das rituelle Geschehen, die Kontrolle und die Garantie der Sanktionslosigkeit sowie das exakte Befolgen des Rituals umgeben die Opfergewalt mit dem Glanz des Heiligen, illuminiert die Gemeinschaft. Der funktionalen Beschreibung – wir veranlassen diese Gewalt, um uns dadurch vor der Gewalt zu schützen – müssen die Opfernden eine andere Rationalisierung zuordnen, die zu ihrem Weltbild paßt und ihnen »selbstverständlich« ist.

Was jede Art von Zivilisierungsprozeß braucht, ist ein Ventil für den sich steigernden Anpassungsdruck, einen kathartischen Mechanismus: Sie bewahren die Gesellschaft vor dem Rückfall in die Barbarei. Genuß und Exzeß, Kult und Verschwendung sind keineswegs Luxus, sondern für das zivilisierte Zusammenleben unverzichtbar.

Der Tod löst sich partiell im Schein der Sprache auf, der Erzählungen. Ereignis, Wahrnehmung und Spiel beginnen: Die Bühne wird der klassische Ort der Sprache als *Agorá* oder *Amphithéatron*. Durch die Sprache erlangt der Mensch die Befähigung zum *zóon lógon échon*, und dies ist die kulturelle Vorbedingung des *zóon politikón*. Nicht bloß rationale Kommunikation entsteht, sondern auch Futurität. Die Tempora der Zukunft ermöglichten ein »vorausschauendes Kultivieren«, sie gestatteten »vielfältige Ordnungen des Möglichen zu bewohnen oder zu erträumen« [George Steiner]. *Ou-Topoi*: Orte und Nicht-Orte des Anderen, Ankerplätze der »Minima Moralia«.

3. Auf dem Weg zur Kunst-Religion Seit der Renaissance wird die Ästhetik *[aisthetiké epistéme]* zu einer Ethik mit anderen Mitteln. Der Mensch begreift sich als Subjekt eines zu verantwortenden Schicksals, und das Paradies wird zum irdischen Paradies. Das Schöne gilt als Widerschein des Unendlichen, jedes Meisterwerk als seine Inkarnation. Zu diesem Wissen und seiner tiefen Bedeutung gewährt allein die Kunst dem Leben Zugang, lautet die gemeinsame Überzeugung.

In den Theorien der Philosophie und Kunst des 18. Jahrhunderts begegnen einander zwei große Themen: 1. Die analytische Introspektion der verborgeneren Affektströme sowie 2. die philosophische Begründung der moralischen Freiheit. Beide Erkundungen förderten mehr oder anderes zu Tage, als man gewünscht haben mochte: In den abgründigen Seelenlabyrinthen die amoralische Natur des Gefühls, in der gleißenden Helligkeit der Kritik die Grenzen der hohen Vernunft. Am Ende der Lichtsuche standen Kant und de Sade. Die elegante Klarheit der klassizistischen Fassaden ließ gespenstisch die Gewölbe eines Piranesi durchscheinen. In dieser Ambivalenz von hochgestimmtem Aufschwung und Zurückschrecken angesichts ungeahnter Abgründe entstanden [fast autopoetisch] die Theorien des Erhabenen, der großen Gefühle und der politischen Heilslehren. Die Wendung vom Klassischen und Rationalen zum Erschreckenden eröffnete die virulente Einsicht in den zweideutigen Charakter des Schocks, der Plötzlichkeit angesichts bestimmter ästhetischer Phänomene des Schreckens.

Den Zugang zum Unsagbaren erschließt nicht nur die Religion, sondern auch die Kunst. Dieser Gedanke verdichtet sich in der Folge. Strukturell gesehen sind Kunst und Religion einander zum Verwechseln ähnlich: Beides sind Erzeugnisse der Einbildungskraft, und die Imagination selbst gilt als göttlich. Dies setzt einen großen Individualisierungsschub frei. Friedrich Jacobi, Gefühlsentschlüssler und Glaubensanalytiker [1734–1819], zeigt die Alternative: »Gott ist außer mir, ein lebendiges, für sich bestehendes Wesen oder Ich bin Gott.« Und seit der Romantik entscheiden sich die Menschen in der Regel für ihre eigene Göttlichkeit. Friedrich Schleiermacher, Religionsphilosoph und Ethiker [1768–1834], ergänzt: »Nicht der Mensch hat eine Religion, der an eine heilige Schrift glaubt, sondern derjenige, welcher keiner bedarf, aber selbst eine Religion machen könnte.« Kreativität befreit offenkundig und augenscheinlich.

Diese Egophanie einer schwelgerischen Kunst-Religiosität faszinierte damals vor allem die junge Generation, weil sie keinen tradierten kanonischen Korpus darstellte, sondern einen Modus von Ich- und Welterfahrungen, der sich ästhetisch konsumieren ließ. Die Religion als Kunst emanzipierte sich vom Dogma und wurde zur Offenbarung des Herzens, und die Kunst als Religion gab der

Ästhetik des Herzens überirdische Weihe. Im romantischen Enthusiasmus scheint Dionysos zurückgekehrt, aber mit ihm auch seine Probleme. Stets birgt der Rausch die Angst vor der Ernüchterung in sich, vor dem Ende der traumwandlerischen Sicherheit. In ihren schonungslosesten Augenblicken weiß die Romantik ganz genau, daß der Resonanzraum ihrer Himmelsmusik beängstigend leer ist.

Läßt sich die gestellte Sinnfrage an die Kunst durch die Funktionsfrage besser lösen? Gerade das Scheitern der sozialen und humanen Programme politischer Verheißungen fordert die Künste zur Parteinahme heraus. In diesen Debatten spaltet sich die Kunst in die wahre und falsche Moderne. Das soziale Gewissen wird zum künstlerischen Gewissen. Denn gerade die moralische Unausdeutbarkeit der nur rational und instrumentell erfaßten Welt ist es, die den Menschen zur Suche nach einer Ästhetik der Existenz, zum Aufbau gestalteter Zeit zwingt. Jeder Sinn ist Beziehungs-Sinn, Auslegung, »Bedeutsamkeit für uns« [Max Weber], ein Ankerplatz im Strudel des Lebens und seiner Kontingenz [Niklas Luhmann].

4. Generalangriff auf alle Sinne Richard Wagner fällt es leicht, auf den Tastaturen der ozeanischen Gefühle zu spielen. Eine Mixtur aus Lust und Schmerz, Ekstase und Lähmung, Todesgrauen und Lebensfeier. Die Liebenden, die »Nachtgeweihten«, sterben den Liebestod, lösen sich auf in das dynamische Grundgeschehen von »Stirb und Werde«. Tatsächlich machte Wagner etliche Leute ver-rückt, wie etwa Baudelaire, der bereits den »Tannhäuser« wie einen »Opiumrausch« erlebte.

Für die »Revue Wagnérienne« – eine Zeitschrift der französischen Avantgarde und nicht, wie die »Bayreuther Blätter«, ein antisemitisches Hetzblatt – war Wagner ein Impulsgeber auf vielen Gebieten. Die Décadence und das Fin de siècle, ob in Paris, Wien, Prag oder München, fanden in Wagner ihren Kosmos der radikal anderen Welt wieder, wo die Krankheit über die Gesundheit, der Tod über das Leben, Künstlichkeit über Natürlichkeit, Nutzlosigkeit über den Nutzen und Hingabe über vernünftige Selbstbehauptung triumphierten. Hier sah man die Welt wieder ins Geheimnis gehüllt, in das Dämonische und Dionysische. Ein Widerstand gegen die Ausnüchterung des bürgerlichen Zeitalters. Joris Karl Huysmans, Gabriele d'Annunzio, Thomas Mann, Arthur Schnitzler, Hugo von Hofmannsthal, Stéphane Mallarmé – sie waren fasziniert von den Motiven des Liebestodes und der Götterdämmerung, von dem dunkel klingenden Reich aus Schicksal, Eros und Thanatos. Die Orchesterstürme und die unendliche Melodie ließen einen versinken in die seelischen Untergründe und ihre dunklen Verheißungen. Man fühlte sich im Auge des Orkans, im Inneren der Formgewalten.

Wagners Kunst wird, wie schon Zeitgenossen vermerkten, zum Generalangriff auf alle Sinne. Das verleiht seinem Werk, das gegen die kapitalistische Moderne protestiert, seine eigentümliche Modernität. Denn das Primat der Wirkung und der Wirkungsabsicht gehört zum Charakter dieser Moderne, in der die Öffentlichkeit sich als Markt organisiert. Dort müssen auch die Künstler gegeneinander konkurrieren, um Aufmerksamkeit zu gewinnen.

5. Ästhetisierung und Barbarei Eine weitere Rißlinie geht durch das Bewußtsein der Avantgarde. Uns bleibt, so Arthur Rimbaud, nur die Gewißheit: »Das wahre Leben ist woanders.« Was ist vorzuziehen? Resignation oder Revolte? Von den Gestaden der Glückseligen verjagt, treiben wir ohne Kompaß und Anker auf der Begriffsgaleere Wirklichkeit, umspült und gepeitscht von den Wogen eines Meeres, »auf dem nie jemand ‚Land in Sicht!' ausrufen würde« [Guillaume Apollinaire, Carlo Michelstaedter]. Thomas Mann trifft eine neue Differenzierung zwischen Kultur und Zivilisation, bei der Friedrich Nietzsches Unterscheidung zwischen dem Dionysischen und dem Apollinischen durchschimmert.

Die Zivilisation ist apollinisch, lebenserhaltend, optimistisch, erleichternd, rational, gesittet. Sie bändigt die dunklen Triebe, sie ist lebbare Oberfläche! Das Dionysische ist tief, elementar, triebhaft, wild, gefährlich. In der apollinischen Zivilisation ist es uns geheuer, das Dionysische verweist auf das Ungeheure, das man romantisch oder überhaupt irrational zum Ausdruck bringen oder aber – im apollinischen Stil – rational bewältigen und vielleicht beheben kann. Der Westen ist apollinisch-sokratisch, optimistisch. Die deutsche Kultur hat aber nach Mann dionysische Elementarkraft in sich. Sie ist mehr Musik als Demokratie. Und Musik bedeutet: Tragik, Rausch, Lust an Auflösung und Tod, Eros, Tristan, Dionysos. Thomas Mann zeichnet die Linie von Schopenhauer über Nietzsche zu Wagner, die den dunklen Untergrund aufgerührt haben und aus Wille, Wahn und Schrecken elementare Werke geschaffen haben. Darum warnt Thomas Mann vor der unheimlichen Nähe von Ästhetizismus und Barbarei.

Das Leben gehört uns nicht, aber dort draußen in den Strömungen zerebraler Unendlichkeit, im Dunkel versunkener Mythologien und in den Labyrinthen der Seele zeigt es schimmernd sein wahres Gesicht. Auch in den Banlieus, wenn die Wahrheit blutüberströmt, erbarmungslos und nackt ihre uferlose Wildnis erkennt, und die Auslöschung zum Siegel der eigenen Authentizität wird. Das ist das letzte Mal, dann nie wieder. Sehen, wie die Zeit einstürzt und still steht. Modernes Kunstbewußtsein? Wie läßt es sich denken?

6. Ästhetik als Risiko   Die Endlichkeit pocht in unserem Körper, während die Kunst-Realität nur in der Form der Konstruktion des Geistes existiert. Die Absurdität der Konstruktion liegt für den Künstler darin, Dauer und Ewigkeit zu denken, ohne sich dadurch von dem elementaren Gesetz der Vernichtung befreien zu können. Diese Aporie wird zu einem Gefängnis, zum Schmerz der Verzweiflung. Sprachohnmächtiges Aufschrecken! Der Mensch muß sich der unüberwindbaren Grenze des eigenen Lebens stellen, in einem lähmenden Gefühlsmix aus beklemmender Angst und Verlorenheit vor dem Nichts. Es ist die Angst, »vor deren blindem Blick alles Nichts wird«, wie Hannah Arendt 1955 formuliert.

Die Gesellschaft braucht eine spezifische Kultivierung ihrer Affekte. So stellt sich bereits mitten in der Aufklärung die Frage an die Kunst, welche Aufgabe ihr zukomme. Ist sie ein ästhetisches Menschenexperiment zur Erprobung des Abgründigen? Wenn Tabu und Böses gleichermaßen faszinieren, ist von der Kunst nicht die verdoppelnde Affirmation des Vernünftigen zu verlangen, sondern eine Ästhetik des Risikos, die sich dem Verpönten, Abgewandten, Unzulässigen öffnet. Daher muß sich die Kunst inhaltlich nicht nur an den humanen Idealen orientieren. Vielmehr geht es um riskante Überschreitungen der Grenzen von Moral und Logik, die traditionelle Bilder brechen und emotionsbeladene Reaktionen provozieren.

Riskant ist und war Ästhetik allemal. Wird uns das Wahrgenommene hinwegreißen, zu einer Absage an die [überkommene] Moral führen?! Die Erschütterung des Logos auf der Bühne [etwa Antigone, Die Bakchen] kann sich zu einer Rezeption bündeln, die der Mediokrität des schlechthin Vernünftigen eine Absage erteilt. Umgekehrt kann nicht mit Sicherheit die Gefahr vermieden werden, daß gerade die ästhetische Integration des Tabuisierten seiner weiteren Rationalisierung dient. Vor allem aber: Ohne das Risiko einer tatsächlichen Verletzung und Beleidigung des Empfindens für Scham, Würde, Integrität beim Zuschauer wäre eine solche Ästhetik ohnmächtig. Wir müssen uns stets diese Ambivalenz vor Augen halten.

Enthusiasmus war im ursprünglichen Wortsinn *[én-theos]* das Eindringen himmlischer Kräfte in das menschliche Denken, und säkulatorisch läßt er den Zweifel anwachsen, das elementare Triebleben könne am Ende doch mächtiger sein als die Vernunft und der Wille zur gesellschaftlichen Ordnung. Vor Freud sahen Schelling und Schopenhauer das Problem in ähnlicher Weise. Solcher Zweifel erweitert den Raum für situationistische Affektivität sowie alle Facetten von Angst.

7. Ankerplätze auf schwankendem Grund Sigmund Freud erläutert, daß genau dies »das Unbehagen in der Kultur« ausmache. In der modernen Gesellschaft wird die Entzauberung der Welt als das Bewußtsein ihrer eigenen Verfassung schlechthin erlebt [Max Weber], und damit verschwimmt der Sinn: Ein Bewußtsein, ein Ego, das inmitten der Abfälle des alten Humanismus, des Totalitarismus und der Erzeugnisse der Massentechnologie vergiftet. Es ist die Wahrnehmung der moralischen Unausdeutbarkeit der Welt, die den Menschen unerbittlich zur Suche nach einer Ästhetik der Existenz zwingt. Wenn es um einen »Ankerplatz für Möglichkeiten in der realen Welt« geht, bleiben nur die Künste. Denn sie schützen den emotionalen Sinn unseres Lebens gegen den bloßen Funktionssinn der Gesellschaft.

Adorno und Horkheimer antworten auf diesen Prozeß einer »Dialektik der Aufklärung« mit einer Paradoxie: der Macht der Ohnmacht! Gerade das beschädigte Leben soll der Weg zur Erkenntnis sein. Das zwingt Adorno wie auch etliche zeitgenössische Komponisten, etwa Peter Ruzicka, Helmut Lachenmann oder Olga Neuwirth, zur ästhetischen Engführung. Im Angesicht der Verzweiflung wäre nur der Versuch, alle Dinge so zu betrachten, sinnvoll, wie sie sich vom Standpunkt der Erlösung aus darstellen [»Minima Moralia«]. Selbst Erkennen gerinnt zum Kunstwerk.

Die Veränderbarkeit des Bestehenden wird durch Kunstwerke verbürgt. Würde die Kunst zu existieren aufhören, würde auch jeder Widerstand gegen das Bestehende untergehen und damit jede Hoffnung auf einen utopischen Horizont. Läßt sich also das nackte Leben als Gipfel der Kunst betrachten? Die Gegenwart skizziert das Manifest einer Ästhetik, die [von Marcel Duchamp, der sich als »ein Atmender« und als nichts sonst definierte, bis zu Joseph Beuys, der jeden zum Künstler erklärte] aus der Kunst eine Tätigkeit ohne Werk beziehungsweise aus der *téchne* ein nutzloses Wissen macht.

Hier treten wir in ein Zeitalter ein, das zwischen Anästhesie und Hyperästhesie schwankt, zwischen der klinischen Farblosigkeit weißer Quadrate und den quadratischen, weißen Formen der Palliativanstalten. Angst verbreitet sich, den utopischen und kunstvollen Vorgaben obligatorischer Gesundheit nicht mehr zu entsprechen, angesichts der stetig sich steigernden Fabrikation von Kunstmenschen einer wunscherfüllenden Medizin. Die von Bénédict Augustin Morel und Max Nordau vertretene Idee erblicher Entartung ist heute lebendiger als je zuvor. Und zwar unter dem gefälligeren Namen »Antizipation«.

Was die Kunst betrifft, müssen wir daher fragen: Ist es realer, ein Symbol oder Zeichen zu schaffen, von dem man überzeugt ist, daß es tausend Jahre hält, und daß alles, was wir erleben, nur Zutaten zu einem Werk sind, das überlebt? Oder ist umgekehrt alles, was wir hier machen, nur Ablenkung von einer Verwirklichung, die außerhalb der Kunst liegt? Draußen pulsiert das Leben, die Leute schießen wirklich aufeinander. Gott wird zum Sprengstoff! Sie töten um des Glaubens willen, laut, marktschreierisch und unbekümmert.

Der reale Terror fasziniert vor allem dann, wenn die Wirklichkeit mit nackter Plötzlichkeit da ist. »Das größte Kunstwerk, das es je gegeben hat«, sagte Karlheinz Stockhausen zum 11. September 2001. Wüst und brutal bringt das Theater den Aberwitz und die Paradoxie der Wirklichkeit auf die Bühne, Botho Strauß und Luc Bondy mit »Titus Andronicus« im Odéon in Paris 2005; Michael Haneke und Sylvain Cambreling in »Don Giovanni« im Palais Garnier 2006, der sich in der Welt des Raubtierkapitalismus ereignet. Vogelrufe über dem Donnerschall der Apokalypse, als Kent Nagano »Saint Françoise d'Assise« von Olivier Messiaen bei den Salzburger Festspielen dirigierte. Wir lernen: Auch das Heilige bricht herein mit Gewalt und nackter Plötzlichkeit. Man will in die Ereignisse selbst einschmelzen, man glaubt, daß man aus der Sphäre der bloßen Darstellungen endlich draußen ist und sich mitten im realen Leben befindet. Hier verschwimmt die Grenze zwischen Störung, Zerstörung, Selbstzerfleischung und Vollendung. Wir vibrieren in unserer eigenen Befindlichkeit.

8. Gewaltimagination und Emotion Literatur, Bühne und Bildende Kunst sind Laboratorien der Gewalt-Imagination, nicht deren Gegensatz. Gewaltphantasien sind elementarer Bestandteil ästhetischer Produktion. Die antike Tragödie oder Shakespeares theatralische Gewaltperformances sprechen eine deutliche Sprache. Man denke nur an die Folterphantasien, z.B. in »King Lear« [1604/1605]. Herrschaftsräume werden als emotionsfreie Gewaltlaboratorien gezeigt. Wer Mitleid hat, stirbt.

Die virtuelle Gewaltmaschinerie rollt an und fabriziert körperliche und psychische Leidens- und Todesarten am ästhetischen Fließband. Das Theater fungiert als Alptraumfabrik: Shakespeare und seine Zeitgenossen spielen das Spiel ebenso zynisch wie virtuos. Das Theater als »moralische Anstalt«? Vielleicht, manchmal. Und wenn ja, bestenfalls an der Oberfläche! Primär fungiert es als Menagerie ausgefeilter Tötungstechniken der Seele und des Körpers. Was übrig bleibt, ist reine Libido, »Lust der Selbstexpansion«: Liebe ist mit Haß verwandt, mit Sterben und Tod, verdeutlicht Sigmund Freud. Ein Zusammenhang von Grausamkeit und obsessiver, sexueller Gewalt ist nicht von der Hand zu weisen. Man hat unausgesetzt daran gearbeitet, das soziale Gewaltpotential zu bändigen, in den Griff zu bekommen. Das ist nicht nur nicht gelungen, sondern das praktizierte und imaginierte Gewaltpotential hat sich vervielfacht. Was passiert, wenn die Gewalt als obsessive Lust zum Selbstzweck wird. Sie braucht keine Rechtfertigung, sie zielt auf die permanente Fortsetzung und Steigerung ihrer selbst. »Das ist die Kreativität des Exzesses.« [Wolfgang Sofsky]

Wenn man die Koppelung von Sexualität und Gewalt im ästhetisch-künstlerischen Milieu betrachtet, brechen alle Widerstände. Büchereien, Filmarchive, Theater und Opernbühnen sind voll von immer gleichen Klischees. Wenn die Grausamkeit ohne jeden Sinn bloß triebhaft Vergnügen verschafft, so verweist dies auf eine Dimension des Menschen, die außerhalb des Sozialen, außerhalb der Kultur liegt: reine Biologie, triebhafte menschliche Natur, physische Ökonomie, rätselhafte Wildnis. Im alltäglichen Szenario der Horrorfilme oder in der Folterpraxis marodierender Söldnergruppen, auch in staatlichen Gefängnissen existiert das Virtuelle als reale Praxis. Sadistische Lust als Quotenfaktor der Aufmerksamkeitsökonomie.

Ein Stimulans der Phantasie wird allenthalben behauptet: Doch was, wenn die Phantasie Monstren gebiert, die dann in das wirkliche Leben treten? Aber wo beginnt das wirkliche Leben eigentlich? Wo endet das Kunst-Leben, die Virtualität? Ernst Mach hat 1866 in seiner »Analyse der Empfindungen« den Unterschied zwischen Schein und Wirklichkeit radikal bestritten, aufgehoben: »Die oft gestellte Frage, ob die Welt wirklich ist, oder ob wir sie bloß träumen«, hat »gar keinen wissenschaftlichen Sinn. Auch der wüsteste Traum ist eine Tatsache, so gut als jede andere.«Hinter aller medialen Vermittlung steht nackte emotionale Wirkung. Und diese nackte Wirklichkeit betrifft unsere eigenen Affektreaktionen auf die Präsentation von Gewalt. Denn all diese Simulationen erzeugen echte Gefühle und die, nicht bloß die Produkte, müssen besprochen werden. Dringlich!

Diese Entfesselung des Elementarischen, des Animalischen im Humanen ermöglicht eine Kunst, »die in sich erzittert«, und mit der die »Erschütterung« als Erlebnis korrespondiert. Diese Erfahrung ist keine Befriedigung des Ich, sondern ein Memento der Auslöschung: die Bewußtwerdung unserer inneren Leere und Begrenztheit. Die Thematisierung des Endes ist eine Orientierung an Ewigkeitsaspekten, und nichts ist so ewig wie der Tod. Kunst verkürzt den Eintritt in ein Reich, wo das Leben sich in seiner unkontrollierten Totalität noch zu offenbaren oder zu verlieren verspricht. Einstürzende Logiken spiegeln den Bruch mit der vereinbarten Wirklichkeit. Unruhe, der schwindelerregende Glanz des Augenblicks, des Plötzlichen. In jedem genuinen Kunstwerk erscheint etwas, das es nicht gibt. Die Künste verwalten den »anderen Sinn« des Lebens gegen den schlichten Funktionssinn der Gesellschaft.

9. Kunst als Lebensbewältigung Nie haben wir die Gewißheit, einen »objektiven Sinn« entdeckt zu haben, denn immer spielen unsere Wünsche und Blickrichtungen eine Rolle: Das ist der berüchtigte »hermeneutische Zirkel«. Man kann sich darüber ärgern, man kann sich jedoch seiner bewußt bedienen, um den Dingen Sinn und Bedeutung zu geben, statt nur darauf zu hoffen, daß sie auch ohne unser Zutun Sinn und Bedeutung haben, die wir nur zu entschlüsseln brauchen. Was geschieht in der Sprache der Musik, der Dichtung, der Bildenden Künste, was im Aussprechen, Benennen und Erfinden von Welt? Eine Frage, die tief in die grundlegenden Bedingungen der menschlichen Existenz vordringt, wo sich schöpferische Individualität und Selbstrealisierung im Erleben der Kunst ereignet: »Reale Gegenwart« von Sinn, wie George Steiner sagt.

Wir müssen die Fragen, die Kunstwerke an uns richten, so genau wie möglich beantworten, mit allen unseren Sinnen, mit Herz und Verstand. Wie Umberto Eco in seinem Klassiker »Das offene Kunstwerk« zeigt, besteht der ästhetische Reiz des Kunstwerks darin, daß es nicht restlos eindeutig ist, sondern dazu auffordert, eine eigene Lesart zu entwickeln. Dadurch wird es im Sinnkosmos jedes Betrachters noch einmal erschaffen, als subjektive Rekonstruktion, die von Mensch zu Mensch unterschiedlich ausfällt. Personenübergreifende, gemeinsame Bedeutungen liegen im Schnittbereich der vielen subjektiven Deutungen, die zusätzlich auch noch einen eigenen, unvergleichlichen Gehalt aufweisen. Erst diese Unschärfe und Deutungsoffenheit macht es möglich, daß sich Menschen Gegenstände der Betrachtung [subjektiv] als Kunstwerk aneignen. Und das ist eine Chance, die jeder ergreifen kann.

Was man dazu benötigt, ist die Fähigkeit zur wirklichen Individualität jenseits des inszenierten Individualitätstheaters. Man muß mit der Unsicherheit umgehen lernen, die aus der Selbstbezüglichkeit des Subjektiven resultiert, und man braucht kreative Energie, um die Leerstelle, vor der man sich angesichts des offenen Kunstwerks befindet, mit einer Gestalt zu füllen. Kunst ist nichts anderes als das zentrale Bewältigungsunternehmen einer nicht anders zu bewältigenden Wirklichkeit.

Also gut, dann nehme ich mein

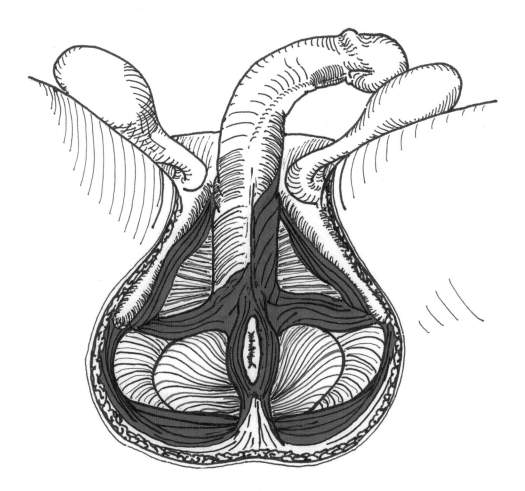

Leben nicht persönlich.

Felix　moses mendelssohn der philosoph
de Mendelssohn　hatte einen buckel
Aufklärung　und meinte dieser würde ihm besonders
　　　　beim denken helfen

　　　　denn ein schöner mensch ohne buckel
　　　　braucht nichts denken
　　　　und kommt trotzdem bei den frauen an

　　　　während einer wie er
　　　　dermaßen vom schicksal verunstaltet
　　　　muß den geist erheblich anstrengen
　　　　damit er sie doch am ende gewinnt
　　　　die bereitwillige fut

Christian　»Aha.« – »Haha.« – »Ha-tschi!!«
Steinbacher　Na, also doch [falls uns das dann überhaupt noch wer abnehmen will mit dem
Juckreiz vor　leider immer wieder irgendwo ausständigen Tuch für alle Fälle eines Niesens].
gebetenen　Na, langsam stauchte es sogar so ein Faultier wie dich, erfuhr ich soeben.
Gästen　[Spricht da einer von der sich fortschreitend abzeichnenden Schrumpf- und
　　　　Schrumpelung, die uns mit der Zeit dann eben doch wie unvermeidlich alle
　　　　überfallen haben wird?]
　　　　Schön döst, döst, döst und döst es vor sich hin wie nicht ungekonnt. Gar an
　　　　die fünfzehn oder was weiß ich wie viele Stunden, heißt es, brauchten die
　　　　dafür [was nun? diese »Ais« aus den Kreuzworträtseln? für eine Paarung? fürs
　　　　Hinüberklettern zum Partner? oder nur für das Heben eines Armes, um sich
　　　　später, und um nichts weniger verzögernd, zu kratzen? »Ai, ai, Sir«?]. Aber
　　　　auch für ein noch einigermaßen gesundes Lesen [oder Leben] mag nicht selten
　　　　gelten, daß ein Stück Zeit dann ab und zu ganz ohne weiteres nur einfach so
　　　　vergehen darf. Was also wirst du uns empfehlen für eine erstbeste Flaute?
　　　　[Oder wolltest du uns gar noch als Akteure oder motivieren?]
　　　　Her da also mit dem Spray, mein Herr! Und diesmal nicht nur prompt wie
　　　　unverzüglich und mit Wirkung, sondern selbst zu aller Vorsicht. Nämlich für
　　　　den Fall, daß sich ein Kettenhund dann doch noch von wo loseisen möchte.
　　　　Ungebetene Fruchtwahl? Wenig wegsame Pfade? Schielt das denn schon
　　　　wieder übers Gatter? Na, Wanderstöckelschuh, komm schon, flieg [»Reb
　　　　und Rosen, was, träumst schon wieder?«]. Oder, und um nichts weniger
　　　　ausgekommen einer fest gestellten Umfriedung: »Da, schau, jetzt steht er

endlich einmal frei, dein ungarnierter Lattenrost, in dieser frischrasierten Wiese dort!« Gerümpelauslauf also und mitnichten? Unterm Bottich hervor, was hinterm Lattich zurück? Oder etwa, und somit etwas weniger erholsam beträufelt, also noch frisch aufgeschreckt von dem Kläffer, vorbei auch bloß an öden Feldern voller Mais und Staub und Auspuffschwaden? Und kein prickelndes Schiff dann weit und breit, das sich mit so etwas dann auch kreuzen ließe, doch reichlich Pfeffer? Den aber erhieltest du ja vorsorglich, nein wirklich. Wenngleich nur aus dem Ami-Shop, wo inzwischen wieder alte DDR-Jacken neu eingetroffen sein dürften, um das so zaghaft zu notieren, denn eingetreten bist du ja nie in so eine gemusterte Partie. Aber auch ich war dort noch nie, spricht drauf das lotterhafte, scheckige Vieh. Und so schreibt sich das alles allmählich auf diese Art nicht nur immer weiter und weiter, sondern manchmal sogar wo mit ein, weil wir dann ja endlich bitte wirklich niesen sollten vor welchem Haufen Heu auch immer, so sich dort nichts Weiteres an Denkwürdigem finden lassen will mit diesem, unserem ersten Kompaß. [Der Gemüsehändler mit seinen zahlreichen gebrochenen Zehen wüßte aber ebenfalls, und das wesentlich verknappter, um manch schärferes Hausmittel.] Ah, du mein Schminkzeug, du mein Flicken [und mein Depp-Ich]. Welch schon ergiebig schöner Lauf, nein, Läufer [wohl aus dem Senegal, die Wade, was?]. Auf- oder Aus-? Aber ein Zieleinlauf wohl oder zum Glück hier noch nicht, o du meine werte Verdauung. Na geh, der erste vorne im Korso zu sein, da strengt man sich schon an und schwingt dann seine Wimpel und Taktstöcke. Blumenkorso in Nizza? Bürgergarde am Marktplatz? Äffchen flott voran in die Manege? Was denn noch? Komm, setz schon fort, du, es macht doch auch Spaß mit so einem Schminkköfferchen. Und »-tschi!«, schon fällt es hinunter, das Besteck.

Der weiße, nicht der schwarze Pfeffer macht sie mundend. Und so bleibt dann gar nicht selten offen manche Frage. Etwa: Welche Rinde ißt man mit, welche nicht? In seinen Miß- wie Wissensständen hat zum Glück jeder doch auch dunklere Flecken. Die Korsen aber lieben Käse mit Gewürm, weiß man uns zu berichten. Da aber wären wir dann ebenso um einiges nicht gut bewandert [was uns aber nur recht sei so].

Und die sich von euch vorzustellende schäbige Auslage in dieser Niederschrift, die doch kein schlechtes Muster abgeben hätte können für ein eilfertiges Ausmalen der ersten Szene [also der mit einem wie auch immer noch nicht betretenen Shop], wäre eigentlich für eine ganz andere Stadt zu erinnern, was man aber bitte nicht schon wieder verwechseln soll hier aus der Ferne eines Schreibens [oder Lesen]. Also rufet doch endlich mal an: Gleich um die Ecke dort, da hat jetzt selbst dein jüngster Sproß wieder eine Anstellung gefunden, und der stand ja für ein Regulativ lange schon nicht mehr parat, aber ab nun will diese regulierende Versorgung der Gemüter anscheinend doch noch klappen und zeigt das alles endlich einmal Handhabe, hat ja die Leiterin der Filiale diesen sonst sich stets viel zu zögerlich zeigenden Sproß sogleich ganz in ihr Herz geschlossen [und du somit auch diesen zur Freude gereichenden Text inzwischen].

Ja, den Schlüssel kannst du haben von mir, den brauche ich nicht. Verborge ihn ohnedies nicht ungern, wüßte ich doch selber gar nichts anzufangen mit ihm. Reparaturen im Eimer, heißt es zwar, und wohl nicht ganz ohne Schmach, aber Kübel und Anhänglichkeit paßten andererseits auch ganz gut zusammen. [Und wenn die Abdeckung nun an beiden Seiten einer Geschichte, auch nicht mehr anzumachen ist ab und so eben leider überhaupt nicht mehr, putzen werden wir sie dennoch, auf daß sich einer zumindest auf diese Art noch, wenn auch nicht zu sehr, in den zumeist sehr beliebten Bereinigungen geübt haben können wird.]

Wenn dann aber gar kein Aufruf kommt, dort hinzufahren? Will sich so einer statt eines Ausflugs denn wieder nur einen neuen Kratzbaum kaufen? Fängt augenscheinlich also nun auch der da an damit, sich nur noch wie ein abgelegtes, moderiges Faultier zu fadisieren? [Zuerst sieht man es gar nicht, wenn man das Glashaus betreten hat, denkt sich: Da ist doch nichts, außer Hitze und Vegetation, aber dann, wenn man plötzlich nach oben blickt, nachdem man die Tür hinter sich geschlossen hat, uh, da hängt dann so was Unbewegliches über einem, was aber nicht beunruhigen soll, da dich das gar nicht bemerken will in seinem famosen Dösen wie eben.] Aber nicht alles mag einen jucken. Und dazu, daß so ein Körper nicht gänzlich einfällt [oder das Faultier herunter, auf die Eintretenden], gäbe es selbstredend auch Alternativen, heißt es [und schon zieht man, wenn auch nicht gleich an Stricken, so doch an Erwägungen, trommelt etwa auf der Tischplatte herum und illuminiert sich so zumindest einen Tischtennistisch, wenn schon kein Backfisch ins Netz geht]. Nein, niemand ist ein Wirbelwind auf Dauer.

»Falls uns das dann auch wer abnimmt mit dem leider immer ausständigen Tuch für alle Fälle eines Niesens.« Jetzt juckt es aber wirklich. Wird wohl etwas holprig oder zäh diesmal. Oder gar poppig. Also Biergärten, Zuprosten, Saufspäße etc. Ein Rad noch ohne alle Gänge, da kommt man ins Schnaufen, wir halten an, legen uns in den Schatten der Kastanienbäume. Das alles macht sich nämlich nicht so einfach aus dem Staub, läßt vielmehr anhalten so, als wäre man ein vom Wind oder wem auch immer herumgewirbeltes Partikelchen selbst [schaut, wie flott euch so ein Text dann vor sich hintreibt, meine Lieben]. Na, Margariten [oder Windpocken] kenne sogar ich mit Namen. He, ihr Könner! Dann aber verlassen wir wieder diesen Flop eines zwar geblümten, aber nicht einmal leinenen Umstands und steigen zurück in den Stehkragen. Fehlt schon wieder was? »Wenn auch nur die Wimperntusche«, beklagt da der vergeblich gesucht Habende. Wir dürfen sie einfach nicht mehr hereinlassen, nein. Soll sie doch ihre Wäsche von nun an draußen hinstellen.

»Was mach ich bloß, wenn das nicht aufhört?« [Du sollst nicht zitieren, sondern mit mir reden.] ... Unterschiedliches Schrubben: Mit und ohne Spüli. Dem einen tut das Geschirr leid, dem andern die sogenannte Natur. [Vertragt euch doch, laßt euch in Ruh mit Reibereien. Erschöpft sind wir derzeit sowieso alle ein wenig, sonst wären auch die Reibereien hier nicht zu viel.] Dagegen ist nichts zu machen: Dein Sessel steht genau im Luftzug, aber lüften müssen wir bei dieser klaren Luft. [Was tun mit flatterhafter Kleidung? Beim Zugfenster am besten an den Haken in Fahrtrichtung vorne. Denn dann kann es das Sakko hinauswehen, wenn der Sog vom Tunnel kommt. Und dann kann es sein, daß auch was herausfällt, draußen, aus den Taschen. Zugfenster sind ohnedies nicht mehr zu öffnen. Laß den Quatsch!] Jetzt laßt den Laden endlich herunter, denn unter so viel Sonne kann man doch gar nicht Lektüre betreiben. Rattatatata. Rattatatata. Rattatatata. Das Ratatouille auf der anderen Seite dieses Zimmers einer Fete täte da schon viel besser [trotz der faden Zucchini; Einzahl: Zucchino, was das Rechtschreibprogramm wieder mal nicht akzeptiert, aber Michelangelo sprechen auch immer mehr Professionisten neuerdings mit CH, wohingegen ich den Michel Mettler aus der Schweiz, dem regional ausgesprochen korrekt ein SCH zugehörte, in meiner Ansprache zum deutschen Michel verkehrte]. Der ungeladene Gast verzog jedoch das Gesicht beim Kosten des Ratatouille. Für uns hieß er ab da nur noch Scharfe Zunge. »Servus, Scharfe Zunge«, riefen wir ihn schon von weitem, wenn wir ihn sahen an, welcher Theke auch immer – und schon wendete er sich ab und ward nicht mehr zu sehn [wie dieser juckende Text].

Tschinellen flattern; Cicciolina, sie gackert; Tschibutti flackert. Also auf abschließend doch wieder einmal bloß nach Timbuktu, und dann endlich nur noch TEMPO und Ruh. [Oder möglicherweise exquisiter? Auf dem Taschentuch mit der schematischen Darstellung des chinesischen Schriftzeichens JIONG etwa – seit kurzem ein Star im chinesischen Internet – ei, dieses Schriftzeichen, so stilisiert, daß es so aussieht, als ob es sich selbst im Spiegel betrachtete, oder, in einer anderen Variante, auf die Toilette eilte. Samy, Barry, Simba und Cheeta geben dagegen die Motive der Artikel aus dem weniger entfernten Jena. Die der traditionellen Marke De Chasse wiederum zeigen das klassische Rothirsch-Motiv, und zwar »so edel, daß man sich gar nicht traut, es zu benutzen«, wie zu lesen ist. Na, dann besser doch unbedruckt in den Gulli die Schneise.]

Verena Harzer
Männerknochen

Um viertel nach neun bin ich mit Gunda verabredet. Sie hat sich im Arsenal einen Cassavetes-Film angesehen und Hunger. Bevor wir zu der Ausstellung aufbrechen, gehen wir noch eine Suppe beim Asia-Imbiß gegenüber essen. Gunda ist noch ganz mitgenommen von dem Film und findet die Suppe so scharf, daß sie sie nicht essen kann. Wir sollen noch Britta und Doro wegen der Ausstellung Bescheid sagen. Gunda nimmt ihr Telephon nicht in die Hand, also mache ich das. Britta ist schon vor Ort, Doro will dann gleich aufbrechen. Gunda und ich fahren schon mal mit unseren Rädern los. Die Ausstellung ist im tiefsten Wedding. Der Weg ist lang, und für Juni ist es wahnsinnig kalt. Wir hätten beide gerne Handschuhe. Gunda hat ihre Lederhandschuhe diesen Winter im HAU und ich meine Wollfäustlinge im Delphi Kino liegen lassen. Während ich meine wiederbekam, hatte Gunda kein Glück. Leder ist sehr begehrt, hat man ihr gesagt. Ich erzähle Gunda von New York, wo ich gerade gewesen bin, und wir unterhalten uns darüber, wie kraß das Leben dort ist, und wie das Leben die Menschen verändert. Daß es irgendwann, egal wen man trifft, immer nur noch um die Frage geht, ob derjenige einen weiterbringt oder nicht. Deshalb haben alle in New York Katzen, damit wenigstens zu Hause etwas Warmes, Kuscheliges und Zärtliches auf sie wartet. New York ist ein *Stahlbad unserer Zeit,* sage ich, und fühle mich dabei total bescheuert. Gunda ist sehr froh, daß sie gerade an einem anderen Punkt in ihrem Leben angekommen ist und ein entspanntes Sozialleben in Berlin pflegen kann. Als sie vor zwei Wochen ihren Geburtstag gefeiert hat, hatte sie sich riesig darüber gefreut, daß soviel Leute, die sie alle schon so lange und gut kennt, da gewesen sind, und alle miteinander und mit ihr gefeiert haben. Inzwischen haben wir das Center am Gesundbrunnen erreicht und wissen nicht mehr weiter. Wir fragen drei Weddinger Hip-Hop-Boys nach dem Weg. Die schicken uns wieder zurück in die Richtung, aus der wir gekommen sind. Die Uferstraße haben wir bereits verpaßt. Wir fahren wieder zurück und fragen eine Gruppe von türkischen Frauen und Mädchen mit Kopftüchern und Kinderwägen. Sie erklären uns, daß sie nicht genau wissen, wo die Uferstraße liegt, aber sie sind sich ziemlich sicher, daß sie nicht hier ist. Hier nämlich wohnen sie, und wenn es hier eine Uferstraße gäbe, wüßten sie es. Sie sind unheimlich nett und lustig und empfehlen uns, einen Taxifahrer zu fragen. Der Taxifahrer ist auch sehr nett. Er erklärt uns, daß die Uferstraße in der Richtung liegt, in die wir zuerst gefahren sind. Offensichtlich haben uns die drei Hip-Hop-Jungs Mist verzapft. Langsam bekommen wir schlechte Laune.

Die Ausstellung ist in einer riesigen Halle im Innenhof eines ehemaligen Industrieareals. Davor stehen viele junge Leute, die Spanisch sprechen und mehr nach Erasmus-Studenten als nach Kunstschickeria aussehen. Gunda kennt gleich jemanden. Ich gehe mein Fahrrad abschließen und ärgere mich, daß ich die Stiefel mit Absätzen angezogen habe. Der riesige Raum ist mit grellem Neonlicht ausgeleuchtet und mit hohen weißen Trennwänden vollgestellt, an denen Bilder aufgehängt sind. Es läuft laute dumpfe Musik, und als wir um die Wände herumgehen, sehen wir, daß sich im hinteren Teil viele Leute auf einem großen Podest um eine provisorische Bar drängen. Es ist nach 22 Uhr. Laut Einladung sollte die Ausstellungseröffnung bereits in die Party übergegangen sein. In Wirklichkeit merkt man davon nichts. Doro und Britta stehen etwas von der Bar entfernt. Sie tragen beide lange schwarze Mäntel, wie ich. Birgit kommt dazu und kommentiert unser ähnliches Aussehen sofort. Gunda ist an einer Menschentraube hängen geblieben. Ich hole mir ein Bier, und wir unterhalten uns. Doro und ich gehen uns dann noch die ausgestellte Kunst angucken, aber so richtig gefällt uns nichts. Birgit hat uns einen Zeichentrick-film im hinteren Teil der Ausstellung ans Herz gelegt. Gezeichnete Objekte wie Häuser, Vögel oder Frauenbeine verwandeln sich fließend ineinander und in andere Objekte. Daneben hängen Kopfhörer. Wir versuchen, ob der Film vielleicht mit Musik besser aussieht. Aber das ist ein Irrtum. Als wir wieder zu Birgit und Britta stoßen, verabschiedet sich Gunda gerade. Sie ist müde und will nur noch nach Hause. Wahrscheinlich hängt das mit dem Cassavetes-Film zusammen, aber das sagt sie uns nicht. Dann kommt ein Typ rein, mit dem ich vor langer Zeit mal was hatte, und ich fühle mich sofort unwohl. Wir begrüßen uns kurz unter Beobachtung von Doro, Birgit, Britta und zwei Frauen, mit denen er unterwegs ist, und die ich nicht kenne. Er sagt, daß ich toll aussehe, und ich fühle mich in meinen Absatzstiefeln und meinem schwarzen Mantel wie eine Kunstschickse. Er trägt einen zerschlissenen Anorak und hat ein Bier in der Hand. Ich sage Danke, dann gibt es nichts mehr zu sagen, und er geht mit seinen zwei Freundinnen zur Bar. Die eine von ihnen hat einen Hund dabei. Meine Laune ist danach nicht besser. Das grelle Neonlicht nervt, die Musik ist ein scheußlicher Lärm und die Menschen und die Kunst um einen herum häßlich. Ich will gehen. Die anderen noch nicht. Ich sage, daß ich gehen will, weil eben dieser Typ hier ist. Birgit erzählt dann von ihrer Exbeziehung. Wegen diesem Typ geht sie auch nicht mehr in eine bestimmte Bar. Sie ist sich nicht mal sicher, ob es eine Beziehung oder eine Affäre war. Bei drei Monaten weiß das keiner so genau. Als sie mit dem Typen zusammengekommen ist, hat Axel noch zu ihr gesagt, daß sie doch die coolste Braut von Berlin ist, und was sie denn mit so einem Vollidioten von Womanizer will. Aber sie hat natürlich nicht auf ihn gehört. Schließlich brechen wir gemeinsam auf. Das ist mir total unangenehm, weil es ein so spürbarer Aufbruch ist, und ich eigentlich lieber unbemerkt davongegangen wäre.

Wir haben noch Lust auf einen Drink, und Doro, die im Wedding wohnt, empfiehlt uns die Barrikade-Bar. Sie ist sich nicht ganz sicher, wo die ist, und steht deshalb lange an der Straßenkreuzung vor der Uferhalle. Dabei streckt sie ihren Hals immer ganz weit vor, um soweit wie möglich um die Ecken vor und hinter sich gucken zu können, während sie überlegt. Das sieht lustig und niedlich aus. Mir fällt wieder auf, wie gerne ich Doro mag. Irgendwann weiß sie wieder, wo wir lang müssen, entscheidet sich dann aber, nicht mehr mitzukommen. Sie muß morgen früh aufstehen und begleitet uns noch bis zu der Straße, in der die Barrikade-Bar ist. Wir freuen uns sehr, als wir dort endlich ankommen, weil der Laden mit altem Schild und verdrecktem Schaufenster schon von außen super aussieht. Drinnen läuft Freddy Quinn, es hängen alte Bilder von Frank Zappa an der Wand, und auf den Tischen stehen aus Papier gefaltete Minipyramiden, die den Schriftzug der Bar tragen. Unter den Blicken der männlichen Kundschaft plazieren wir uns auf Barhockern um einen halbrunden Tisch und bestellen Bier. Nach dem ersten Schluck erläutere ich ausführlich, warum die Geschichte mit dem Typen von vorhin so eine Psychogeschichte gewesen ist. Der ist auf jeden Fall ein interessanter Typ, hat aber total destruktive Energien und ist außerdem ein ziemlicher Vollblut-Alkoholiker. So ein Typ, von dem man genau weiß, daß er einem nicht gut tut, auf den man aber trotzdem steht. Birgit kann das wieder total verstehen. Sie kennt das auch. Von der Exbeziehung, von der sie vorher bereits berichtet hat, der Affäre, was auch immer. Britta ist gegen so etwas ja zum Glück immun, sagt Birgit. Obwohl uns dann einfällt, daß Britta ja auch so eine Geschichte mit dem Tobias Heinze erlebt hat. Der hat ihr drei Jahre lang den Hof gemacht, und als Britta sich dann endlich auf ihn eingelassen hat, rief er sie schon nach drei Wochen nicht mehr an. Britta hat fast durchgedreht. Obwohl das sonst ja nicht ihr Ding ist. Eigentlich ist Britta eine harte Nuß, an der sich die Typen die Zähne ausbeißen. Deshalb ist das mit dem Tobias Heinze ja auch so besonders und irgendwie auch toll gewesen. Mit keinem anderen Typen haben wir Britta so ausgelassen erlebt. Birgit erzählt uns dann, daß sie es ja bis heute immer noch wahnsinnig macht, daß die Geschichte mit Dennis nicht geklappt hat. Sie weiß genau, daß Dennis der Mann ihres Lebens ist. Aber der denke ja immer noch, daß sie ihn damals nicht gewollt hat. Dabei wäre das nur eine Verkettung von Mißverständnissen gewesen, und Dennis habe wie ein Löwe um sie gekämpft. Ich bin kurz versucht, ihr zu sagen, daß ich noch von zwei weiteren Frauen weiß, um die Dennis bereits wie ein Löwe gekämpft hat. Eine davon sitzt mit uns am Tisch. Britta. Aber weil Britta nichts sagt, lasse ich es auch lieber sein. Dafür kenne ich Birgit auch irgendwie nicht gut genug. Britta fragt Birgit dann, warum sie es denn nicht einfach nochmals bei Dennis versucht. Wenn sie sich so sicher ist. Aber Birgit könnte niemals eine Beziehung zerstören. Und Dennis hat jetzt ja eine Freundin. Frank hat ihr gesagt, daß die auch ganz nett ist. Britta und ich finden das beide total bescheuert. Dann kommen wir auf Birgits anderen Ex, Marc, zu sprechen. Birgit macht sich Sorgen um ihn. Er ist so lebensmüde. Irgendwann wird er sich umbringen. Davon ist sie überzeugt. Das macht ihr Angst. Sie weiß, daß sie mit ein Grund dafür ist. Sie liebt ihn noch immer total, aber sie könnte einfach nicht mit ihm zusammensein. Dabei ist er einer der tollsten und intelligentesten Menschen, den sie kennt. Oft ist er, während sie schon im Bett lag, noch am Tisch gesessen und hat geschrieben und einfach die ganze Nacht lang nachgedacht. Und am nächsten Morgen hat er ihr dann irgendeinen Satz, den er geschrieben hat, vorgelesen, und das hat sie dann immer total umgehauen. Britta kann das mit dem Lebensüberdruß ganz gut verstehen. Inzwischen hat sie das auch. Daß ihr alles immer sinnloser erscheint. Dabei ist sie viel jünger als Marc. Daß jetzt nochmals zwanzig Jahre und noch länger alles so weitergehen soll, das macht sie oft total fertig. Ich finde es ziemlich kraß, das so aus Brittas Mund zu hören. Mir ist überhaupt nicht klar gewesen, daß Britta so drauf ist. Da betreten Alex und ein Freund die Kneipe und wir wechseln das Gesprächsthema. Birgit erzählt, daß ihr Vater immer in genau solchen Kneipen herumgehangen ist. Er war überall als der beste Freddy-Quinn-Interpret Stuttgarts bekannt. Sie findet es dann ziemlich spooky, daß in dem Moment, in dem sie das erzählt, der Typ hinter der Bar genau den Song auflegt, der man bei der Beerdigung ihres Vaters gespielt hat. Damals hat sie nämlich richtig losheulen müssen, weil ihr Vater ein so guter Vater gewesen ist. Von ihm hat sie ihr großes Herz. Wir überlegen dann, welche Lieder auf unseren Beerdigungen gespielt werden sollen. Birgit nennt einen Song, den weder Britta noch ich kennen. Das ist aber kein Problem, sagt Birgit. Wir sollen dann einfach Marc fragen: Der weiß genau, welchen Song sie meint, wenn er dann noch am Leben ist. Mir fällt kein Lied ein, deshalb entscheiden wir, daß das Lied, das gerade läuft, Nelly the Elephant von den Toy Dolls, sich ganz gut eignet. Britta entscheidet sich für Life is Life von Opus. Alex schlägt ihr die Version von Laibach vor. Da schiebt der nette Kellner hinter der Bar auch schon die erste Runde Schnäpse auf unseren Tisch. Ich denke mir noch, daß Britta einfach der charmanteste Mensch der Welt ist, wenn sie lacht. Da hat Birgit plötzlich Klara am Telefon. Die ist gerade mit ihrem Mann Alex im Muschi Obermaier und will, daß wir da auch noch hinkommen. Nach einer weiteren Runde Schnäpse, die niemand von uns bestellt hat, brechen wir auf. Britta, Birgit und ich mit dem Rad, Alex und sein Freund nehmen ein Taxi. Birgit ist mit einem Rennrad unterwegs. Sie fährt viel schneller als Britta und ich. Immer gibt sie ein wenig an, daß sie gar nicht langsamer als so schnell fahren kann, das wäre für sie sonst total anstrengend. Als wir schließlich ankommen, wird es schon hell. Während wir unsere Fahrräder abschließen, sagte Birgit immer wieder, daß Klara jetzt gleich ausflippen wird, weil wir tatsächlich alle noch vorbeigekommen sind. Das Muschi Obermaier ist mittelmäßig gefüllt mit vielen Männern und wenigen Frauen. Klara ist nicht die einzige, die sich über unsere Ankunft freut. Ich unterhalte mich dann ein bißchen mit Klaras Mann, dem Galeristen Alex, den ich sehr gerne mag, aber mit dem es mir immer schwer fällt, mich zu unterhalten. Ich empfehle ihm die Barrikade-Bar in Wedding. Das ist nicht mehr sein Ding, sagt er, irgendwelche Bars in Wedding auszu-checken. Aber er findet es gut, daß da jetzt junge Künstler abhängen, und schaut mich dabei an. Daß ausgerechnet Alex das zu mir sagt, finde ich ziem-lich bescheuert, weil ich ja zum einem gar keine Künstlerin bin, und weil ja sonst immer er, der Galerist, und seine Künstler das so machen, irgendwelche harmlosen Eckkneipen plötzlich in angesagte Künstlertreffs zu verwandeln und die langjährige Stammkundschaft zu vertreiben. Wir unterhalten uns dann ein wenig über New York, weil er morgen aus geschäftlichen Gründen für genau einen Abend dorthin fliegt. Ich finde das natürlich ziemlich kraß, aber er sagt mir, daß das das Beste ist, weil einen die Leute dann richtig feiern, weil eben alle das so kraß finden, wenn man einfach nur für ein bescheuertes Dinner von Berlin nach New York fliegt. Noch krasser käme das natürlich mit L. A.. Überhaupt ist L. A. die bessere Stadt. Viel entspannter und vielfältiger. Auch landschaftlich gesehen. Ich bin noch nie in L. A. gewesen und frage mich wieder einmal, warum ich Alex eigentlich mag. Das Gespräch verebbt. Alex ist müde und will nach Hause. Er muß Schlaf tanken für sein Dinner in New York. Als er die Bar verläßt, schubst Birgit Klara hinter ihm her, irgendwie ist es ihr wichtig, daß die beiden zusammen die Bar verlassen. Mir ist nicht ganz klar weshalb, aber Birgit beruhigt mich, daß alles in Ordnung ist, und daß Klara einfach nur gemeinsam mit Alex nach Hause gehen soll. Ich finde das ein bißchen blöd, weil ich ja gerade wegen Klara noch hierher gekommen bin, und hier sonst ja nicht mehr viel zu holen ist. Aber Birgit und Britta sind ja auch noch da, und jetzt gleich wieder gehen ist auch Quatsch; also bestelle ich noch ein Bier. Birgit versucht, uns zu überzeugen, mit ihr auf Britney Spears zu tanzen. Britta folgt ihr, weil sie den Dancefloor auschecken will. Der End-kampf ums Nicht-alleine-nach-Hause-gehen-müssen tobt an allen Ecken. Es riecht nach Einsamkeit und nacktem Leben. Zum Glück kommt Britta schnell zurück. Ein kleiner dicker Typ mit Bart führt sich als Nachbar von Birgit ein und stellt gleich noch einen anderen kleinen dicken Typen vor, zu dem wir alle nett sein sollen. Der hat dann irgendwie das Bedürfnis, sich mit mir zu unterhalten, und stellt sich sehr dicht neben mich. Immer wenn er den Mund öffnet, sehe ich seine langen, schmalen Stiftzähne, die silbern glänzen. Mit seiner überdimensionalen eisernen Designerbrille erinnert er an Hannibal Lektor mit Sicherheitsmaske. Oder Bobby Peru aus *Wild at Heart*. Mir ist das super unangenehm. Als er mich nach meinem Namen fragt, nenne ich ihm meinen Vornamen und weigere mich, meinen Nachnamen zu nennen. Er wendet sich ab. Britta ist inzwischen komplett von dem anderen kleinen dicken Typ okkupiert, der sicherlich auch nicht die erste, aber auf jeden Fall die bessere Wahl ist. Ich fange dann noch eine etwas zähe Unterhaltung mit dem schwäbischen Freund von Alex an, der mir erzählt, daß er sich kaum noch an seine Schulzeit erinnert. Andere Ereignisse in seinem Leben sind viel prägender gewesen, und überhaupt hat er sich schon früh ein eigenes Leben neben der Schule aufgebaut, weil Schule ihn immer gelangweilt hat. Ich langweile mich schon nach den ersten zwei Sätzen. Britta ist irgendwann wieder da, ohne den kleinen Typ. Immer lustloser nippt sie an ihrem Bier. Wir beschließen beide endgültig mal aufzubrechen. Birgit ist wild auf der Tanzfläche zugange und tanzt eng umschlungen mit einer Frau, die wir beide erst für Klara halten, die wir bei näherem Hinsehen aber gar nicht kennen. Britta läßt sich dann doch noch zum Tanzen bewegen. Ich bin heilfroh, als ich endlich vor der Bar stehe. Es ist hell geworden. Als ich zu meinem Fahrrad gehe, muß ich feststellen, daß es dort, wo ich es abgestellt habe, nicht mehr steht. Ich renne suchend hin und her und kann es nirgendwo finden. Brittas und Birgits Fahrräder stehen beide noch da, meines fehlt. Ich bin so genervt, daß ich den großen Typ mit Brille, der zielstrebig auf mich zuläuft, erst gar nicht wahrnehme. Er stellt sich direkt vor mich und fragt, ob er mir helfen kann. Ich erkläre ihm, daß mein Fahrrad geklaut sei. Er sagt mir, daß ich sturzbetrunken bin, aber das ist egal. Weil er sich jetzt um mich kümmern wird. Ich verdrehe die Augen und mache mich auf den Rückweg ins Muschi Obermaier. Der Typ kommt mir hinterher. Die Tür zur Bar ist mittlerweile abgeschlossen. Ich hämmere wütend dagegen. Der Typ hinter mir sagt immer wieder, daß ich nicht so fest an die Tür klopfen soll, weil das meine zarten Knöchelchen kaputt macht. Dabei spüre ich, wie er sich immer schwerer von hinten gegen mich lehnt. Schließlich wird die Tür doch noch geöffnet. Ich gehe schnell zu Britta und schildere ihr meinen Verlust. Birgit ist nicht mehr aufzufinden. Britta kommt dann mit mir vor die Bar. Aber wir finden mein Fahrrad nicht. Während Britta ihres aufschließt, winke ich einem Taxi. Ich würdige den Fahrer keines Blickes, während ich ihm die Adresse nenne. Trotzdem werde ich ihm später Trinkgeld geben. Er kann ja nichts dafür, und hinter dem Potsdamer Platz geht endgültig die Sonne auf.

Bernd
Damovsky

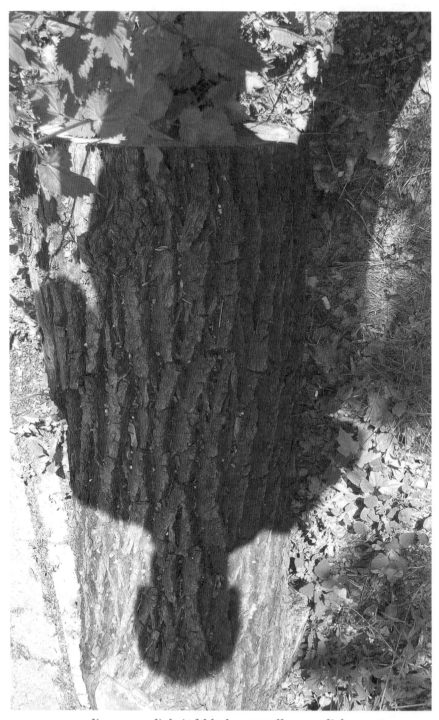

wenn die notwendigkeit fehlt, kommt alles vom lieben gott

Am anfang ist und war die geburt der menschen durch die frau. Die mutter ist und galt als die schöpferin des lebens. Die götter waren ursprünglich göttinnen. Durch list, tücke und gewalt haben sich männer zu herren über leben und tod dieser Welt aufgeschwungen.

Hubsi Kramar

Vom ursprung des lebens zum prinzip der zerstörung und des todes

Vom Matri-archat zum Patri-archat. Als wäre der mann dieses prinzip der arche, des anfangs. Als wäre er der schöpfer mit seinem, von ihm herbeigezauberten, lieben gott als ursprung alles lebendigen. Dieser hokuspokus ist und war eine gewaltsame aneignung des grundprinzips des lebens. Gewalt und zerstörung sind auch die grundlagen des patriarchats. Männer haben sich im ein-gott-glauben den männlichen ober-gott erfunden und mit hilfe männerbündlerischer priesterschaften die frau als schöpferin des lebendigen unterworfen. Im sinne der macht-absicherung und des macht-erhaltes ist das erste gebot konsequenterweise: »Du sollst an einen gott glauben!« Und die weiteren grundlagen dieses glaubens strotzen ebenfalls von irrationalitäten: »Im anfang war das wort, und das wort ist fleisch geworden!« Das wort als abstraktion des lebendigen. Die wandlung, die transsubstantiaton, ist perfekt. Dasselbe kennen wir ja vom geld.

Die hostie gleicht in ihrer form dem geldstück. Ihr wesen ist, wie beim geld, der glaube an einen schein: vernebelung – »Dies ist mein fleisch, esset davon.« Das wort als nahrungsmittel ist etwas dürr. Wenn doch so viele menschen verhungern. Das ganze ist auch eine vergewaltigung in form der männlichen geschichtsschreibung durch die herrschaftlich, herrlichen, gutversorgten schriftgelehrten. Dadurch ist das patriarchat ja auch so mächtig. So ist die frau nicht nur aus der 12. rippe des mannes erschaffen worden, sondern sie ist auch schuld am ganzen übel dieser welt. Vom opfer zum täter. Sie hat, so berichten uns einhellig gelehrte und visionsbegabte männer, durch das bündnis mit satan in gestalt der schlange das ganze unheil angerichtet. Durch ihr übertreten des verbotes, den apfel vom baum der erkenntnis [ebenso eine abstraktion – welche erkenntnis?] zu pflücken, hat sie adam, den ur-mann, getäuscht und betrogen. Sie ist schuldig, daß die menschheit aus dem paradies [matriarchat] vertrieben worden ist. Seither sind wir dazu verdammt, »im schweiße unseres angesichts«, in patriarchalen leistungs- und konkurrenzverhältnissen, in haß und krieg unser leben zu fristen. Der hinauswurf aus dem paradies ist der beginn des patriarchats mit seiner gewalt-maxime: »Der krieg ist der vater aller dinge.« Dies bedeutet aber auch: der vater als krieg – jeder gegen jeden. Ganz wichtig ist eine weitere irrationale wandlung durch abstraktion und den unermüdlichen männlichen erfindungsgeist. Die erfindung des geldes: die große abstrakte umwandlungs-maschine. Die wandlung vom lebendigen zum toten, zur ware und weiter mittels des geldes zum gewinn. Profitmaximierung um jeden preis. Die grausame, scheinbar unendliche geldvermehrung durch das wesen dieses geldes: Zins und zinseszins. Dadurch sind wir zu andauerndem wachstum gezwungen. Da sich der geldwert, das kapital, wenn es verliehen wird, ständig vervielfachen muß. Als ware gebraucht, soll geld ja auch profit abwerfen. Das tut es exponential, sich zyklisch verdoppelnd. Die unausweichliche dynamik des exponentiellen wachstums erzwingt somit einen immer schneller wachsenden mehrwert für wenige und auch kapitalbildung und monopolisierung der macht. Im selben maße wächst aber auch die verschuldung der kreditnehmer. Wir erleben eine gigantische privatisierung der gewinne und gleichzeitig eine sozialisierung der verluste. Die so ergaunerten geldvermögen müssen nun von den nichtvermögenden massen aufgebracht werden. Die unheilvolle wachstumsdynamik, die beschleunigung, ist im system eingebaut. Es muß alles schneller werden. Menschen, die kein kapital haben, die ihr totes kapital nicht für sich arbeiten lassen können, müssen, immer schneller und immer mehr, sklavisch schuften oder verhungern. Sie und unser planet müssen immer schneller und ausgiebiger privatisiert, beraubt, ausgebeutet und zerstört werden. Alles ist dieser logik der großen, nunmehr globalen maschine unterworfen, die lebendiges in tote ware verwandelt. Diese neoliberale unterwerfung unter das gesetz des geldes und der wirtschaft zur profit-maximierung ist die ursache der momentanen finanz-, bildungs-, gesundheits- und der ökologischen krise. Einer künstlich gemachten, willkürlich herbeigeführten krise, wie wir sie heute, in einem bisher noch nie dagewesenen ausmaß erleben. Und das, um den reichtum von wenigen zu vermehren. Elend, not und kriege sind gemacht und gewollt. Der krieg ist in diesem perversen sinne, der ver-herr-lichung des toten geldes, das beste geschäft. Das ist der preis für die machenschaften mit dem geld. Der wachstums-wahn-sinn um den preis absoluter zerstörung ist teil des systems. Das weiß jeder, der es wissen will. Die ursachen von krisen sind längst aufgedeckt. Aber es soll niemand merken. Es gibt einfache mittel, um dies zu verschleiern, davon abzulenken. Der große schein. Es heißt ja auch der geld-schein: geld als religion. In der neoliberalen epoche ist das geldwesen endgültig zur alleinseligmachenden religion geworden. Das wird deutlich, wenn man die begriffe des geldes betrachtet: kredit, gläubiger, schuldner und schuld-schein, eben auch der geld-SCHEIN etc. – Geld ist eine sache des glaubens, der wie das prinzip des alleinigen gottes zur wahrheit erhoben worden ist. Die von der herrschaft erwählten und diese absichernden, sogenannten experten, haben es immer verstanden, einen nebel um bestimmte tatsachen zu schaffen. Ihrer behauptung, es gebe keine alternative zum herrschenden geldsystem, ist eine lüge. Die krise ist global. Die abstraktion durch die einführung des geldes

als gleichmacher ist ein abstrakter vorgang. Die dadurch produzierte gleich-
wertigkeit von völlig verschiedenem, von grundnahrungsmitteln/lebensmit-
teln, bodenschätzen, menschen, von ihren lebensnotwendigen bedürfnissen,
dienstleistungen, gesundheit und bildung ist fatal. All dieses wird durch einen
radikalen transformationsprozeß eins: zur ware, zu geld. Um dem profit-
interesse von ganz wenigen zu dienen.

Die gleich-wertig-keit, gleich-gültig-keit führt zur gleichgültig-keit unter den
menschen, zur eiseskälte. Zum verlust des mitgefühls. Zum verlust sozialen
denkens und handelns.

Es ist bekannt, was diese unkontrollierten geldspiele anrichten, und wie
dadurch die natur, menschen, staaten und gesellschaften zugrunde gerichtet
werden. Aber die herren des geldes sind auch die herren der macht. Unsere
marionetten-regierungen finanzieren nach dem muster: Rettet den dieb, die
verursacher der katastrophe! Geld, das für die eigentlichen aufgaben des staates,
wie bildung, soziales und gesundheit nötig wäre, ist nicht vorhanden. Das wird
von den verantwortlichen behauptet, während gleichzeitig ein vielfaches von
dem skrupellosen geld-managern räubern in den rachen geworfen wird,
damit sie weiter ihre volksvermögen-vernichtungs-spiele spielen können. Die
gewählten verantwortlichen herren und herr-schaften erfüllen nur die aufträge
von den wirklich mächtigen, den international agierenden finanzbossen der
wirtschafts- und rüstungskonzerne.

Was mit den geschädigten, dem großteil der bevölkerung, geschieht, ist ihnen
egal. Gleich-gültig. Die eigentlichen mechanismen, täter, anstifter und auftrag-
geber kennen wir.

Im wahrsten sinne des wortes: kapital-verbrecher. Auch die ablenkung dieser
täterschaft auf unschuldige außenseiter, sogenannte sozialschmarotzer, flücht-
linge, asylanten und die bösen ausländer, ist sonnenklar. Mit dieser ablenkung
von den ursachen und verursachern wird politik gemacht. Eine politik der vernebelung. Die populisten scharren schon wieder in den startlöchern.

Sie sind zum teil bereits von den führenden massen-zeitungen und verdummungs-
medien ans ruder gebracht worden. Medial hochgepuschte, heftigst be- und
umworbenen führer und erlöser, die wissen, was der rassistisch aufgehetzte
anteil des wahlviehs will. Korrupte autoritäre figuren, welche durchgreifen und
die schmutz-geschäfte des vernebelns, des hetzens und hassens, der zerstörung
und des massenhaften abschlachtens beherrschen und erledigen. Anders ist

es nicht zu erklären, daß nur 65 jahre nach den furchtbaren verbrechen des faschismus in europa wieder extrem rechte volksverführer und täuscher an die hebel der macht gebracht werden, personen, welche der ideologie der grausamsten zerstörungen nahestehen. Skrupellose geschäftsleute machen unbehelligt ihre besten geschäfte. Das kapital jubelt. Wenn alles erledigt ist, hat keiner etwas gewußt. Schnell ist alles wieder vergessen. Keiner ist verantwortlich. Das spiel geht von vorne los. Die nächsten bewußt herbeigeführten krisen und katstrophen kommen sicherlich, noch größer, noch verheerender. Blind, berauscht und konsumsüchtig stürzen wir uns in das nächste verderben.

Sara R. Suchanek
Im Schatten weit
verzweigt

Die pränatale Lebenszeit ist der Beginn unserer Entwicklung. Sie bildet mit ihrer Erfahrung den Urgrund unseres Daseins und kann diesen Urgrund in Lebenssituationen jeden späteren Alters wiederspiegeln. [Alberti, 2005]

Diese Entwicklung aber hat ihre Wurzeln in der Zeit davor. Sie wird von dieser Zeitqualität wie von einem noch größeren Uterus umhüllt. Vieles ist wirksam und oft nur schwer zu entschlüsseln. Daraus kann der Humus für einen kräftigen Lebenstrieb entstehen oder ein unerklärlicher Todesstoß.

The darkside of … im schatten weit verzweigt jagt ein großer schmerz wann taucht AMUN wieder ans licht wann MUT unsichtbar doch wirksam das gift des aeon Eine große Sehnsucht nach Leichtigkeit und unbeschwertem Leben waren lange unerfüllt. Kopf und Bauch tanzten nicht im Gleichschritt, es rieb sich, es schmerzte!

Hinschauen, immer wieder in die unendlichen Verstrickungen des Lebens eintauchen, dem Blick des Schicksals standhalten. Wann hatte meine Geschichte ihren Anfang genommen?

Die Wurzel meines Lebensbogens reicht bis weit vor meine Geburt und wiegt umso schwerer, je weniger ich davon weiß. Die Unschuld der Nachgeborenen gibt es nicht, die Erbsünde kann auch das Wasser der Taufe nicht wegspülen. Wortfetzen über die harmloseren Geschichten einer unbeschreiblichen Zeit klangen durch den Raum, aber es sollte alles besser werden. Ein kleines Mädchen wuchs heran und trug im Verborgenen schweres Gepäck.

Fülle und Möglichkeiten hatten mein Dasein immer umgeben. Die Welt war im Aufbruch nach dem Krieg, dem großen Schmerz. Trotzdem steckte ein harter Knoten in mir, drückte, war schwer zu begreifen, aber da.

Loskommen – sich lösen – erlösen, aber wie?

Immer diese Andeutungen!

Es war mir zuwenig gewesen, was mir meine Mutter erzählte.

Wenn du einmal älter bist, wirst du es verstehen, hatte sie oft gesagt.

Wie habe ich diese Antwort gehaßt.

Verstehen! Verstehen!

Was bedeutet das?

Ich frage mich bis heute: Ist wirkliches Verstehen überhaupt möglich?

Es mußten Jahre vergehen, bis ich ansatzweise erahnen konnte, wie meine Familie die schwierige Zeit im und nach dem Krieg erlebt haben könnte. Mama hatte uns zwar von früher erzählt und nach dem Tod von Papa ihre Lebensgeschichte aufgeschrieben, aber ich konnte mich lange nicht wirklich einfühlen, und zu vieles blieb ungesagt, konnte nicht ausgesprochen werden. Meinen Vater, den Wortlosen, hatte ich noch weniger begreifen können, auch wenn er bis heute in mir steckt und wirkt, mehr als mir lieb ist. Fragmente seiner Geschichte kenne ich hauptsächlich aus Erzählungen anderer, und seit kurzem aus seinen Briefen aus Stalingrad und der Gefangenschaft, natürlich unter den Augen der Zensur geschrieben, aber trotzdem bin ich beim Lesen immer ergriffen.

Lange konnte ich nicht richtig zuhören: Die Scham und Wortlosigkeit meiner Eltern über vieles traf auf eine besserwisserische Überheblichkeit meinerseits, die, als sie nichts erreichte, auch verstummte.

Was sich all den Berichten und Erzählungen entzogen hatte, schwebte trotzdem wie ein Damoklesschwert über unseren Häuptern. Ein Tunnelblick, gefangen im Unbegreiflichen aus vergangener Zeit, hatte die Eroberung meines eigenen Lebens nur zäh und unter Schmerzen gelingen lassen. Die Kunst, hinter die Wörter zu schauen und das, was ich dabei spürte, zu ertragen, habe ich nur schwer erlernt. Doch ganz langsam konnte ich mich öffnen ...

Bernd Marin
»Die Alten«,
nichts als Alte

Zuletzt hatte ich kränkende Stereotypen der Altenverachtung über »angegraute Frauenzimmer«, »Omas« und »Silberrücken« analysiert. Warum »Ageism« vor allem »alte Weiber« trifft und so unsichtbar ist wie sie. Und weshalb Altersdiskriminierung so wirksam und »erlaubt« ist wie sonst kein Alltagsrassismus. Herabwürdigende Klischees und feindselige Vorurteile gelten überwiegend betagten Frauen: In der Bandbreite vom »armen, alten Mutterl«, der ahnungslosen Greisin als Inbegriff weltfremder Hilflosigkeit bis zur ekligen, »bösen alten Schreckschraube«, gehässig, bösartig, fremdenfeindlich, denunziatorisch neugierig, ausspionierend, ungefragt sich einmischend, mißgünstig, intolerant, sexualneidisch usf. [Hammerl].

Schon junge Frauen sind dem Altweiber-Terror ausgesetzt: Ab 30 bis 35 werden ihnen »Anti-Aging«-Cremen gegen »Hauterschlaffung«, »Orangenhaut«, Falten,

Cellulite und »alte Haut« angedient; am Arbeitsmarkt für »typisch weibliche« Berufe werden sie vom AMS ab 33 Jahren als »altersbedingt unvermittelbar« stigmatisiert; und ihrem etwas späteren Kinderwunsch werden nicht selten von taktvollen Gynäkologen »alte Eier[stöcke]« und »verantwortungslose Geburtsrisiken« entgegengeätzt.

Fünf Kernelemente von »Ageism«: 1. Alle »Alten« sind gleich – und werden nur noch über ihr Alter definiert, als nichts als Alte. 2. Es gibt keine Unterschiede zwischen alten Frauen und Männern. 3. »Die Alten« tragen nichts bei, sind »unnütz«, »überflüssig«, zugleich »zu anspruchsvoll«, was die Nazis »Schmarotzer«, »Parasiten«, »Volksschädlinge« hießen. 4. Sie sind entweder »Bürde«, nichts als »Last« und »Kosten« für die Gesellschaft, oder »wollen nicht von der Bühne abtreten«, sind »immer noch da«, statt »Platz für Junge zu machen«; so oder so, weg mit ihnen. 5. Als Opfer von Mißbrauch und Verbrechen sind sie würdelos einfältig, lachhaft gutgläubig oder paranoid mißtrauisch, dumm, wehrlos, beinahe selbst schuld – oder besonders skurrile oder »böse« Täter, von der marihuanapflanzenden Rentneroma zum Milliardenbetrüger oder »Monster« von Amstetten.

Sonst werden »Alte« wie Kinder oder senile Greise überwiegend unmündig und kaum als normale Erwachsene gezeichnet. Sie sind in Medien – und der Politik – kraß unterrepräsentiert, vor allem Frauen. Wo über sie berichtet wird, dann meist voller Klischees, auch beschönigender, ohne Wahrhaftigkeit und Würde. Meist als dahinvegetierende »Pfleglinge«, lästige Bittsteller oder unverschämt weltreisende Lobbyisten in eigener Sache.

Demographischer Alarmismus und Panikmache mögen eine Reaktion auf blinde Beschwichtigung und gefährliche Realitätsleugnung gewesen sein: doch ihre Sprache bedient sich teils problematischer und verräterischer [»Zeitbombe«, »Kollaps«, »Bedrohung«, »Altenlastquote«] teils schlimmer Begriffe wie »Überalterung« oder »Vergreisung«.

Während Langlebigkeit längst ein Massenphänomen ist und »aktives Altern« ein vielbeschworenes Ideal, werden aktive Ältere immer nur als Ausnahmen einer privilegierten Minderheit dargestellt – Künstlerinnen, Gelehrte, Schauspieler, Schriftsteller, Unternehmer, Musiker. Doch jede[r], die/der sich selbst verwirklicht, ist nie im ewigen »Ruhestand«.

Angelika
Kaufmann

die nässe
die nässe trottoirs
des trottoirs se
des ält sich zu
wandelt rottoir
wandelt rottoir
eis glätte en rutschen
beigignnez zulrcuht zu
beigine glätten en füßen
b egpe mit den ich
kig ne zulrutet auf
kumpupnedgleurutet schen
umpupned mit den füßen
umpupned mit den füßen
und gleitet auf
die fahrbahnte auf
die fahrbahnte auf
fahrbahn

Thomas Steiner
der hund mit
drei beinen

war grün / & kam die treppe herunter
gehoppelt / die anderen hinter ihm
heiß war es heiß / was machen die alle
[& ich / ich / was mache ich] bei dieser hitze
an diesem ort / auf treppen zwischen
mauern [kalkstein] / unheimlich das / & staubig
grün staubig mit krallen / blätter / oliv
[hunde haben spitze hühnerkrallen / spitze]
hier gingen bischöfe grafen [& so & so weiter
meine güte / die sind alle tot / alle] der hund
mit drei beinen kommt / er kommt! / schmale lippen
hab ich / er hoppelt vorbei / die anderen
nach ihm / was mache ich hier / in der in dieser
SONNE / staubige hunde / rot & grün / staubige
grüne hunde / hühnerkrallen hab ich auch.

Gerhard Jaschke
hirngeplapper

5 monate nach deinem insult ist dir klar:
als linienrichter eines schneckenrennens könntest du noch
eine ganz gute figur abgeben, mit frischgeputztem 4-punktstock,
oh lala, verwendung finden, eine passable leistung erbringen.

was war mit dir geschehen?
wolltest du auf einem bein einschlafen?
in die bewußtlosigkeit fallen? dich in träume falten?
aufgehen in anderen gestalten?

wie findest du in dein vorheriges leben zurück?
alle türen fest verschlossen?
das haus von der umwelt abgeriegelt?

Tone Fink
Eroskraulen

Tone Fink
Klammerliebe

Tone Fink
Dreieckspaare

Gertrude
Moser-Wagner
Schlichte Studie
gegen die
Schwerkraft oder
Wiener Wege
einst wie jetzt

Diesen Text beginne ich nach einem Abend im Literaturhaus Wien. Dorthin eilte ich vor eineinhalb Stunden in der Überzeugung, einer Präsentation der Anthologie »Schlager und Treffer« [der Edition Splitter] beiwohnen zu können, und sicherlich käme ich, wenngleich hart am akademischen Viertel, auch noch früh genug an. Ich hatte an diesem Tag eine Reihe von Wegen, Strecken und Ereignissen in Wien hinter mir, eine Kundgebung am Ballhausplatz zum Gedenken an Johanna Dohnal, die am selben Tag gestorben war wie mein Bildhauerprofessor Bruno Gironcoli [zwei wesentliche Verluste, wirklich!]. Vom Ballhausplatz nahm ich, Richtung Kunsthistorisches Museum, den Weg zum mittleren Eingang des Museumsquartiers, um mich mit einem veritablen Objekt des Anstoßes im öffentlichen Raum zu konfrontieren, das mich schon als Abbildung im »Standard«[1] erbost hatte [das, wenn ich es recht besehe, auch zum vorliegenden Thema »Handicap« zu passen scheint]: Joop van Lieshout amputierte eine riesige weibliche Form zu einer Bar, Leib mit sichtlich abgeschnittenen Gliedern und ohne Kopf, ein grotesker begehbarer Frauenstumpf im Bikini. Zu diesem Fall wollte ich anschließend Kollegin Renate Kordon treffen, die da eine Diskussion unter Künstlerinnen angeregt hatte, und die ich zurecht beim Filmfestival »Tricky Women« vermutete [auch Margret Kreidl und Lucas Cejpek, die gerade mit Rädern daran vorbeigefahren waren, gaben ihrem Unmut Ausdruck]. Meine Strecke führte mich nach Sichtung einer Handvoll von Trickfilmen im Top-Kino weiter ins Literaturhaus, wo ich in eine bereits begonnene Veranstaltung einmündete, unerwarteterweise eine szenische Lesung mit verteilten Rollen. Von »Splitter« keine Spur, Jura Soyfer dachte ich sofort, oder Horváth, nein, es war Wolfgang Bauer, wie sich bald herausstellte. Ich blieb da und merkte, wie der Text und das passable Spiel der lesend Agierenden zur Emotion dieses speziellen Tages paßten, wenngleich ich im Geiste abschweifte und ungläubig meinen Kalender durchwandern mußte. Im Tag konnte ich mich nicht geirrt haben. Den Kalender hatte ich am Schreibtisch liegengelassen, und ich war mir ganz sicher, daß für Freitag der Termin »Splitter« eingetragen stand.

Solchermaßen im vibrierenden Zustand einer offenen Frageform und eines unabgeschlossenen Prozesses auch noch gymnastisch halbwegs aufgewühlt, beschließe ich also, hic et nunc, den Textentwurf für die neue Anthologie »Handicap« zu schreiben, der ohnehin längst fällig ist, doch fehlte mir bisher der Spirit. Mit klammen Fingern notiere ich in mein Heft, bei Station U6 am Westbahnhof beginnend, und will sehen, wie weit ich komme nach zweimaligem Ein-, Umsteigen bis in den Norden Wiens an diesem späten, eisigen Abend. In gewisser Weise ein richtiger Schreibmoment, die Stimuli des Tages, die Unwirtlichkeit, der Umweg.

1] Österreichische Tageszeitung

Ein eiskalter junger Märztag von dieser Sorte war es auch 1986 [eventuell kann es Ende Februar gewesen sein]. Der Fall, von dem zu berichten ist, geschah am Nachmittag an einem Kinderspielplatz am Ende meiner Gasse. Ich befand mich in der Phase der Durchführung des neunmonatigen Konzepts DELEATUR [dazu schrieb ich schon in der Anthologie »Stehlen und Rauben«, die vor zwei Jahren im Literaturhaus präsentiert worden war]. Das Ereignis damals hatte nichts mit DELEATUR zu tun, es sei denn, das Projektvokabel hätte sich selbst zu ernst genommen und wäre auf Nebenprojekte übergesprungen, doch mein magisches Denken hält sich heute in Grenzen. Die Fakten sprechen dafür, daß ich im Winter 1986 einen impulsiven Kunstanfall gehabt haben mußte, der zur Verunfallung führte. Das ist nicht mit jeder Idee der Fall, beruhigenderweise. Das Setting des Nachmittags: Ein Kinderspielplatz mit Rutsche, eine hoch-motivierte Künstlerin mit weit schwingendem schwarzen Rock, flachen Stie-feln, Stativ, Kamera. Schnee, Kälte, kaum Menschen in der Nähe, kein Kind am Spielplatz. Die Intention der Bildhauerin ist eine folgenreiche Studie zu Schwerkraft, Gegenbewegung, Umkehrpunkt. Die Durchführung geschieht mit Schwung: auf die metallene Kinderrutsche hinauflaufend, den Umkehr-punkt studierend, diesen filmend. Nachvollzug am Tun, Aufzeichnen, schlichte Studie gegen die Gravitationsgesetze. Ziel ist die Gewinnung eines Filmmotivs, eines Ausschnitts dieser Bewegung von Unmöglichkeit und dazu die tech-nische Idee, im Studio das Bild so einzurichten, als würde dieser Körper nicht gegen den Winkel von 45° anlaufen, sondern auf einer horizontalen Ebene in einer eigenartigen Bewegung – quasi umkehrend – zurückgezogen werden. Gierig auf dieses Bild, das es herzustellen galt, nahm der Körper an diesem kalten Nachmittag wieder und wieder Schwung auf die schiefe Ebene und lief gegen die Schwerkraft an. Die Akteurin kontrollierte den Filmausschnitt, machte sich dann ein wirklich letztes Mal zum Hinauflaufen bereit und tat sich abermals zum Zwecke des Kunstgewinns Gewalt an – und seither nie wieder, in dieser physischen Form zumindest. Das Setting, eine Stunde nach Beginn, ein leerer Kinderspielplatz im Norden Wiens, einige Fußstapfen im Schnee, Abdrücke eines Stativs: Der Körper fand sich am Ende des Tages kopfschüttelnd vor und ging im Geiste wieder und wieder dieses Schnalzen durch [die Politiker und Politikerinnen und Wirtschaftsleute, die heute im Fernsehen zu sagen pflegen »am Ende des Tages«, wenn sie ein kalkuliertes Ergebnis meinen, das wie die Vorsehung klingen soll – ein böses Ende, das dabei herauskommt, wenn man nicht mittut].

Kurz und gut, ich fand mich also am Abend mit einer gerissenen Achillessehne im Spital wieder. Beim Versuch, dem Arzt den Hergang zu erklären, merkte ich bald, daß ich mit dem Titel »Sportunfall« besser lag [welcher Idiot, der nicht mehr ein Kind ist, läuft schon eine Rutsche aufwärts und baut so einen

Kunstunfall?]. Dort war ich nun, nachdem mich ein freundlicher Mensch aus dem Norden Wiens nach Hause begleitet, meine Kamera mit Stativ getragen und mir einen Krankenwagen gerufen hatte. Seither mag ich einerseits meine Nachbarschaft gut leiden, und ist andererseits auch das Kapitel »Körperextremistisches Agieren zum Zwecke der Bildhauerei oder Performance« für mich beendet, nicht aber diese beiden Disziplinen als Methoden der Erkenntnis. Die Zumutung an einen Körper, gegen seine Schwerkraft zu verstoßen, wurde während der anschließenden, langen und langsamen Phase mit Gipsbein visuell bearbeitet und in ein halbironisches Video eingebaut. Am Ende des Stücks führt meine joviale [damals] Zehnjährige mit der Krücke einen Tanz vor. Der realgefilmten [Unfall-]Szene vom Kinderspielplatz hatte ich einen Text über Achilles und die Schildkröte unterlegt. Das Video »Bugivudu« lief noch im selben Jahr beim Filmfestival in Wels mit mäßigem Erfolg, weshalb ich auch keine Kopien mehr finden kann. Immerhin ist das technisch verläßliche Masterband gut gelagert und wird vielleicht diese mehr als zwei Jahrzehnte überlebt haben.

Zu Hause angekommen, sehe ich im Kalender, daß der Ort der Präsentation von Edition Splitter nicht das Literaturhaus, sondern die Hauptbibliothek am Gürtel gewesen wäre. Doch zumindest habe ich nun diesen Text. Die Wege in Wien sind manchen Dingen als Umweg gut, einst wie jetzt.

Thomas Northoff

Es waren einmal zwei dumme Kinder, die hießen Holzköpfchen und Strohdummchen, und sie hatten einen bösen Onkel, der fast immer schlief.
Sie weckten ihn und baten ihn: Onkelchen, schaukle uns!

Und der böse Onkel, der in einem Lehnstuhl saß, nahm Holzköpfchen auf
das eine Knie und Strohdummchen auf das andere Knie und schaukelte sie.
Nachdem sie eine Weile geschaukelt hatten, baten die Kinder: Onkelchen,
erzähl uns die Geschichte von den zehn Kindern.
Und der böse Onkel begann zu erzählen:
Es waren einmal zehn Kinder:
Die hießen Anja, Tanja und Wanja.

An dieser Stelle verstummte der böse Onkel, denn er war eingeschlafen.
Es wurde Morgen, es wurde Abend, der Tag war verbummelt.
Holzköpfchen und Strohdummchen kamen und baten auf den Knien:
Onkelchen, erzähl!
Und der böse Onkel begann zu erzählen:

Zehn Kinder.
Anja, Tanja, Wanja.
Und Wassja und Wasska und Warja und Werner.

An dieser Stelle verstummte der böse Onkel, denn es fehlte ihm an Fingern,
zwei fehlten an der einen und einer an der anderen Hand.
Und es wurde Morgen, und es wurde Abend, und der Tag war verbummelt.
Da kamen wieder die dummen Kinder und baten: Onkelchen, erzähl uns was.
Und der böse Onkel erzählte die Geschichte von den zehn Kindern:
Hier sind Anja, Tanja und Wanja.
Anja fraß bis zum Umfallen, fiel zu Boden und platzte.
Und Tanja aß gar nichts und verschwand.
Und Wanja, ach, Wanja:
Wanja strotzte.
Ach.
Doch mir ist kalt geworden, und ich will mich in einen Mantel hüllen.

Der böse Onkel stand auf, hüllte sich in einen Mantel und legte sich auf die
Ofenbank. Dort blieb er liegen bis zum Morgen, und es wurde Abend, und
der Tag war verbummelt. Da kamen die Kinder, und der böse Onkel mußte
erzählen.

Er erzählte:
Das ist Wanja.
Wanja ist fett und rosig.
Wanja sieht aus wie ein Schweinchen.
Man steckt ihn auf einen Spieß und brät ihn über dem Feuer.
Die übrigen Kinder heißen Wassja, Sascha, Petja, ... – und ...
Und mit ihnen allen nahm es ein schlimmes Ende, so daß ich darüber lieber
schweigen möchte.

Es wurde Morgen, es wurde Abend, und wieder begann der böse Onkel zu
erzählen:

Es waren einmal zehn Kinder, die hießen Anja, Tanja und Wanja.

Aber, Onkelchen, rief Holzköpfchen, der aufgepasst hatte, das sind doch keine
zehn Kinder.
Genau, rief Strohdummchen, das sind höchstens fünf. Außerdem hast du das
schon gestern erzählt. Erzähl uns lieber: Was ist mit Wassja, mit Wasska, mit
Warja und mit Werner passiert?
Und der böse Onkel erzählte:

Und da sind Wassja, Wasska, Warja und Werner.
Wera und Werner heiraten und zeugen zwei Kinder, die heißen Marlen und
Traktor. Und sie klatschen sie an die Wand.
Doch mir ist kalt geworden, und – um die Wahrheit zu verschweigen – ich
habe noch einen weiten Weg vor mir.

Mit diesen Worten erhob sich der böse Onkel aus dem Lehnstuhl, hüllte sich
in seinen Mantel und fiel um. Denn die dummen Kinder hatten ihm einen
Fuß amputiert.
Als der Onkel eingeschlafen war, ließen die dummen Kinder den Korken aus
einer Sektflasche springen, doch der Knall weckte den Onkel nicht. Und die
Kinder entdeckten, daß den Hinterkopf des Onkels ein großes Kohlblatt zierte.
Sie zupften es ab, und zum Vorschein kam ein weiteres Blatt, und als sie dieses
entfernten: noch eins und noch eins. Die Kinder jubelten, glaubten sie doch,
daß Onkelchens ganzer Kopf aus Kohl bestünde und, wenn sie weiter zupften,
von diesem schließlich nichts mehr übrig bliebe. Aber als sie das nächste Blatt
entfernten, wurde darunter eine furchtbare Wunde sichtbar, und in deren Mitte
ein daumengroßes Loch. Da gossen die Kinder Tinte hinein und verschlossen
es mit dem Sektkorken.

Und es wurde Morgen, und es wurde Abend, und der böse Onkel lag immer noch auf dem Fußboden.

Die Kinder kamen und riefen: Onkelchen, Onkelchen!

Doch der böse Onkel rührte sich nicht. Da drehten die Kinder ihn auf den Rücken und sahen, daß sein Gesicht ganz blau war.

Das kommt von der Tinte, sagte Strohdummchen.

Ob er wohl tot ist?, fragte Holzköpfchen.

Ich weiß nicht, sagte Strohdummchen, wir müssen es machen wie die Soldaten.

Wie machen es denn die Soldaten?, fragte Holzköpfchen.

Die Soldaten geben einen Kontrollschuß in den Kopf, antwortete Strohdummchen.

Daraufhin machten sich die dummen Kinder auf die Suche nach dem Armeerevolver, von dem sie wußten, daß er irgendwo im Haus versteckt sein mußte. Wie sie so stöberten, stießen sie in einem verstaubten Winkel auf einen gefechtsuntauglichen Granatwerfer.

An dieser Stelle möchte ich diese Geschichte abbrechen, weil ich es immer unschön finde, wenn Kinder mit Waffen spielen.

Der Vollständigkeit halber erzähle ich aber noch rasch den Rest der Geschichte von den zehn Kindern, und der geht so:

Wassja blieb sitzen und stand nicht mehr auf.

Und Wasska blieb aus gesundheitlichen Gründen zu Hause. In Wirklichkeit war es nicht wegen der Gesundheit, sondern wegen einer Krankheit.

Daran ist er dann auch gestorben.

So.

Schaun wir einmal:

Anja, Tanja, Wanja,

Wassja, Wasska, Warja,

Werner, Marlen, Traktor.

Da fehlt aber noch einer: Jossif Wissarionowitsch Dschugaschwili.

Das ist übrigens der einzige, aus dem später einmal etwas Vernünftiges geworden ist.

Doch mir ist kalt geworden ...

Jossif Wissarionowitsch Dschugaschwili, bürgerlicher Name von Josef Stalin

Batya Horn
Das Vergehen der
Vergänglichkeit 2

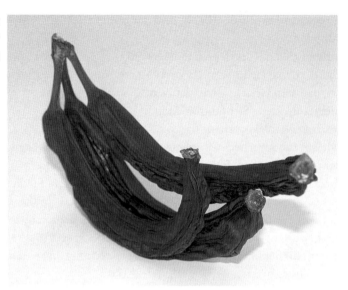

Frank Phil. Bruns
Alles Gute
Krieger

Der Abend erwacht
Und blüht in der Nacht
Der Tag in weiter Ferne
Nun zählt der Augenblick

Die Bühne ist frei
Der Vorhang geht auf
Schillernde Gestallten
Der Töne blauer Dunst

Der Sinne manipulierend
Beflügelt die Gunst
Fragen verblassen
Antworten fehlen

Das Spiel hat begonnen
Der Einsatz bin ich
Den Kampf angenommen
Und kein Ende in Sicht

Stark musst Du sein
Sich nicht ergeben
Vergessen sind Leiden
Wunder sich erheben

Der Strauss ist gebunden
Der Tag erwacht
Der Sieg ist errungen
Über diese Nacht

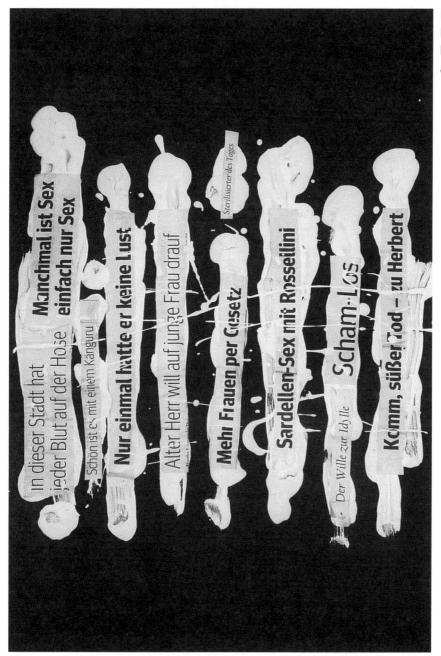

Lisa Est
In dieser Stadt
hat jeder Blut
auf der Hose

79

Johannes Diethart
**D'läizti Schtund
fara Klammer Sefal**

Herrn Josef DIETHARDT [II],
Bauer und Ex-Bürgermeister aus
Eppenstein bei Weißkirchen [† 1974],
Freund seiner steirischen Heimat
und ihrer Mundart,
in Erinnerung gewidmet

Kearn Säi a zuar däi Leit, fiar däina sHoroskoup in da Wouchnzeitung sEfangöili is, däis wos glaibig farschlingan, wäuls eana sBlaui fan Himml oacha eiseislt? Dounn geats Eana houffantli näit sou wia da Klammerin, da Sefal, fan Loamlouch, dera sHoroskoup fiars Wouchnäind d'scheansti Iwaroschung fa iarn gounzn Lebn fahoaßn hot.

Und däi Uarschl hot droun glab, dawäul hot da Hearr Kaploun fara Kounzl oacha präidig, daß däis mit dSchtearn olls a oanziga Mumpitz is, wounn näit goar a Tuiflszuig fara Höill auffa. Und eigantli a groaßi Sind is, woumma uarschlhoft droun glabn tat.

D'Sefal hot himmaramol fül af däis gkoltn, dabei woar s ar a brafa Kristnmäinsch, dear a untar dWouchn gearn in dKiarchn goungan is. An Sunnta souwiasou. D'oanzigi Jungi nebn a poar ausdiarrti olti Schochtln. Und da Pfoarrar woar froa, daß do wäinigstns oa jungs Gsicht zun sechn woar, wounn ar fan Fulksoltoar hear zua däin kloan Heifl Weiwar higschaut hot. Oas farunzlata und buglata ois d'ounare. Und wäinigstns oa scheans mit apetitlichi Kuarfn. Wäul sei Käichin sölwa woar schiach wia dNocht, mit an uarndlichn Bukl und a poar Warzn mit loungi schwoarzi Boarschtn in Gsicht. Und in kanounischn Oltar woars a schoa, däi Gredl. Do is a gearn Mäißlesn goungan in ollar Fria. Und zwischn dWoundlung und dKomunjoun hots eam sou richti load tou, daß ara geistlicha Hearr woarn is. Sou hots eam nouch oana scheanan Frau glustat. Hätt ar sis friarar ibaläign miassn, dear guati Mou, daß sei Pischa näit nuar zun Wossalossn gmocht is.

Und dSefal? Däi hot si Sunnta Fria gounz bsundars schean gmocht, a feschas Diarndl mit Blusn ougläig, däis guat zuar ira Gretlfrisuar und zuar iarn scheanan Fuabau paßt hot. Däina Mounnsleit is immar sWossar in Maul zoummgrunnan, wounns da feschn Sefal in tiafn Ausschnitt houm einischaugn kinnan. Do is eana fost da Otn gschtoukt. Und Weiwarleit woarn richti eifarsichti af d'feschi Sefal. Wari ols Fraunzimmar a gwäin.

Nouchn Hoachoumb hot sas uarndli drawi gkob und is af da Schtöll ins Wiartshaus umi und ins Extraschtiabl einigsaust, wäul s fäist drou glab hot, daß dout heit da Tramprinz af ira woartn weard. Kreachn umi und schreams owi, hoaßts bar uns, wounns oana goar sou alig hot. Sou wia dSefal heit. In ira tiafstn Söll hot s owar nou oun d'echti Liab glab af dera Wölt. Owar s is holt nia wos Gscheits draus woarn in iarn Lebn. Wäul dMounnsleit jo sulchi Falouttn seind, hot s ouft gsog: däi an olls fahoaßn und nia wos holtn. Däi an schnölln Rumpla mochn und dar glei a Kloas ouhäingan mäichtn, owar dounn nix mear fa diar wissn wölln.

Amol hätt jo da Eda Koarl, a sou a kloana Schlawina aus da Gaal, ba ira fäinstarln wölln, owar in sein Dusl is dear Dolm iwa dHeanarschteign eigschtign und in schuachtiafn Heanardräik gloundat. Sou hearzli glocht hot dSefal schoa loung neamma, wias in Pfoarrar farzölt hot, wia da Koarl si neman Houn sein Doumpf ausgschlofn hot. Und s'gounzi Doarf hot holt widar uarndli wos zun Ausrichtn gkob.

In Sepp dafiar, dear s wiarkli gearn hätt hobn wölln, hot si zearscht bara Tiar aussigschmissn. Wäul sa si gschoumb hot, wäul s fara Kindaläimung a bißl oan hatschatn Fuaß zrukgkoltn hot. Und do hot s ban Kiartog näit sou richti tounzn käinnan wie d'aunan Mäindscha. Da Sepp woara feschas Mounnsbüld. Ear woar da Jungbauar fan Falmoar-Houf in Eppnschtoa. Dear hot näit loukar lossn. Und wia dSefal gsechn hot, daß dear näit sou a Faloutt war wia d'ounan Mäinna, wullt s mit eam am Oasta-Sunnta Faloubung feiarn in Säikau ban Houfwiart mit seini Leit aus Eppnschtoa und den iarign ausn Loamlouch, duat wous afgwoxn is.

Owar in Hulzschlog hot eana dounn sSchiksol an uarndlichn Schtrich duarch dRechnung gmocht und eam an harbn Mognschtrudl gebm: An diarrn Grasbam hots ban Umschnein zarschplittat, eana Glik is zarbreslt, und eam hots in Schedl zarmearschat. Do woars aus mit eanan Tram fan Glik, fan Heiratn und an Schouk rouziga Kinna in da groaßn Schtubn.
D'Sefal woar aufgräig wiara kloas Dearndl ban Beichtn foar d'earschtn Komunjoun. Und sMäinsch hot zittart wiara Lamplschwoaf, daß da Hearr Kaploun ira näit nouch da Unkeischheit frogn tat. Wäul sie sou fias Douktaschpün gwäin is, wias kleana woar, und wias da kloani Feardl gounz giarig ausgriffn hot. Dear kloani Wedl. Ira grausts heit nou, wounn s drou däinkt. Und dounn earscht driwar räidn: Näit zun Ausholtn.

Wia ira dounn amol a Summafrischla, a Prafessar fa Wean, farzölt hot, daß am Äind fan 18. Joarhundart in Eschtarreich s bäisti Stuk faran Mounnsbüld in Earnnouman Pfoffnzearsch gkob hätt, isi zwoa Wouchn näit in dKiarchn goungan, sou hot s ira graust foar dPfoarrarn. Bleib da Mäinschheit wiakli nix daschpoart, wounn näit amol mear afs Boudnpearsounal fan Hearrgoutt Farloß is? Hiaz owar widar mittn zruk eini in d'Gschicht. Unsar Sefal schteat in Extraschtiabl, schaut si um und säizt si dounn alloa oun an Tisch. Bschtöullt hots a Ochtl Roatn. Nebm a poar öiltari Mäinna, däi mitanounda fleißi dischgariat und a fäist tschikt houm, sizt alloa a fescha Kampl in Schteiragwound und in bäistn Olta. A poar lari Kriagl foar eam. Dear woar wul näit in dKiarchn. D'Köllnarin hot Houns zu eam gsog. Sie wulltn schoa ouräidn, in Houns, wäul dear sölwa nix dargleichn tou hot. Oan Bsuff und Heidn brauchat i näit dahoam, däinkt sa si. Und ear hot si wieda däinkt: Wos wüll denn däi Wam do? Wüll däi eppa wos fa mia? Owar fiar mear hots neamma greicht bar eam. Owar wia dear dounn nou sei Beischlsuppn wiara ausghungarts Farl obischliarft hot, is ira z'fül woarn und ois fargoungan: »Du Saubartl!« hot s nou laut gsog, eam aus iri Augn ougfunklt, hot si dounn umdrat und is, um a groaßi Houffnung äarma, zorni und zwidar ban Täimpl aussi und ins diksti Neblreißn eini.

Owar d'oarmi Sefal hot näit wissn kinnan, daß as glei uarndli daklatschn weard. Wäul dera Biat hots an Moutaradlfoara af da faregnatn Schtroßn fa Kobäinz eina ausgkoubn, wiara oana Häinn hot ausweichn wulln, und s hot eam sauba hiblattlt. Do is a dounn zoummb da Maschin bis foa dTischlarei Mittaräigga iban Geaschteig gschliffn, daß nuar sou gracht hot, und hot dSefal afoch niedagmat. S'Fourdaradl hot ira wiara Kroassog dBrust afgschnittn und ian scheanan Busn zarkwetscht wiara broattretni Kroat, däi an Tearz in Weg gwäin is. Do wearn füli Mounnsbülda fa Säikau bis eini in dGaal as Rearate kriagn, wounns däis hearn.

D'Maschin is dounn nou in dGostschtubn fan Wiartshaus einikrocht und hot in feschn Biardippla mit Glosschearbn zuadäikt. In Foara sölwa hot s in a Hoslnußschtaudn einiprakt und eam sGnak oghaut. A Fulltreffar fan Schiksol, kinnt ma fost sogn, owar s'is wul gscheita, in Hearrgoutt näit dreizräidn ba seinar himmlischn Politik.

S'Läizti, wos dSefal nou gheart hot in ian Lebm, däis loungsoum aus ira aussagrunnan is, woara Schtimm wia fa tull weit hear:Lous, Sefal, hiaz kimmb as Scheansti in dein Lebm, wiari dias in dein Horoskoup farhoaßn hob. Hiaz bist äindli duart, woust imma schoa host hiwulln.

Bis man erkennt, wer man ist, was man ist, dauert es wahnsinnig lange. Irgend- Franz Hautzinger wann habe ich begriffen, daß ich ungeerdet bin, was Musik betrifft. Ich komme vom Bauernhof. Ich war in einem Internat. Ich bin von Musikrichtung zu **Lippen-** Musikrichtung gestolpert, immer in der Erwartung, dort hinzugehören. Letzt- **bekenntnisse** lich habe ich begriffen, daß ich nirgendwohin gehöre. Lange Zeit war das ein Problem für mich. Jetzt sehe ich es als große Chance. Und zwar in allen Belangen. Das schafft Freiraum. Das Allein-Sein und der Zustand, mit keiner Institution, Organisation, keinem Ensemble und keiner Stilrichtung auch nur entfernt »verbandelt« zu sein, helfen mir dabei.

Die ursprünglichen Wurzeln: Landmensch. Geräuschkulisse der Natur, klang- liche Strukturen, die in der Natur vorkommen, landwirtschaftliche Maschinen.

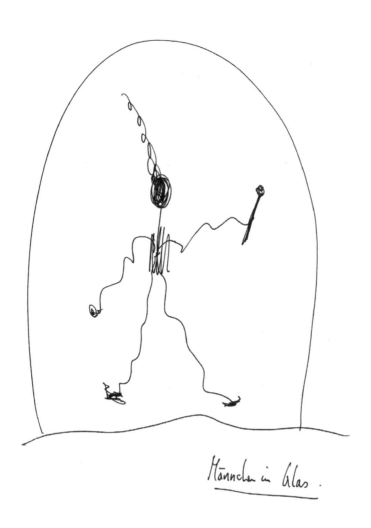

Männchen in Glas.

Mein musikalisches Denken basiert auf Mißverständnissen, die ich bereits als Kind mit mir herumgetragen habe. In der Umwelt, in der ich großgeworden bin, gab es keinen Kunstanspruch. Somit hatte ich die Chance, vieles unberührt und unbeeinflußt mit mir herumtragen zu können. Auch im Erwachsenenalter habe ich lange nur vor mich hingedacht, ohne meine Gedanken nach außen zu formulieren. Es war interessant für mich, als sich Mitte der Achtzigerjahre immer mehr Künstler und Künstlerinnen mit Geräuschen als musikalischen Elementen zu beschäftigen begonnen haben. Das ist die Welt, in der ich aufgewachsen bin, und diese klanglichen Ur-Eindrücke habe ich immer schon als Musik empfunden. Trompeterisch habe ich lange geübt und experimentiert, um diese Eindrücke aus frühester Kindheit ausdrücken zu können. Ich weiß

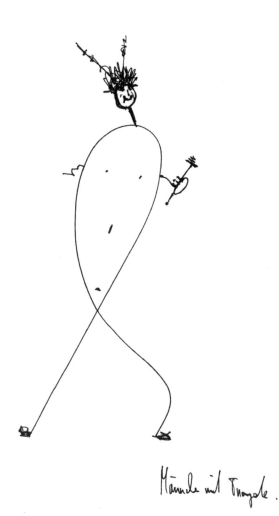

Männle mit Trompete.

zum Beispiel, wie ein Kühlschrank klingt, und kann ihn »nachspielen«, so daß kaum noch zu unterscheiden ist, ob das, was erklingt, nun ein Kühlschrank ist oder meine Trompete. Ich hörte auch lange Türen zu, wie sie quietschen. Ich horchte in die Geräuschkulisse hinein und fand eine Vielzahl von Strukturen. Ich war 18, 19. Wie auf dem Land üblich, habe ich, seit ich eine Tompete halten kann, viel in Blasmusikkapellen gespielt. Privat habe ich wie ein Blöder geübt. Von früh bis spät. Wynton Marsalis war in meinem Kopf, John Coltrane, das volle Alternativ-Programm. Eineinhalb Jahre hat es gedauert, bis meine Oberlippe ruiniert war. Sie wurde immer müder. Ich mußte meine Übungen abbrechen, weil es nicht mehr ging. Auf dem Bauernhof sagt man: »Wenn es heute nicht geht, geht es morgen.« Und siehe da: Am nächsten Tag hatte sich

Bonbong - Martin.

meine Lippe wieder erholt. Dann kam mein erstes richtiges Konzert, und bei einem Stück hatte ich plötzlich das Gefühl, als wäre ein Loch in der Trompete, die Luft entwich, ohne daß ein Widerstand sie daran hinderte. Zuerst dachte ich, mein Instrument sei kaputt. In der Pause schaute ich in den Spiegel und mußte feststellen, daß meine Oberlippe wie ein Lappen herunterhing, völlig kraftlos. Ich trank einen Schnaps. Schnaps hilft ja immer, sagt man auf dem Land. Nach der Pause ging es wieder, aber bei der Zugabe ließ mich meine Oberlippe vollkommen im Stich.

Ab dann ging nichts mehr. Kaum spielte ich zehn Sekunden auf der Trompete, war keine Spannung mehr in meiner Oberlippe. Ich ging zum Arzt. Der fragte mich: »Glauben Sie wirklich, es ist so erstrebenswert, sein Leben mit

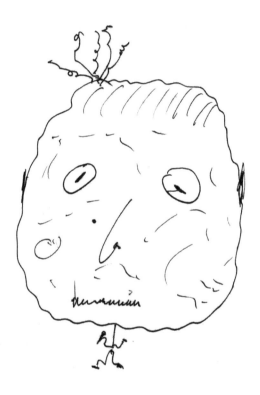

Mann.

einem Stück Metall vor dem Mund zu verbringen?« Mein Trompetenlehrer riet mir, doch einfach auf Posaune umzusteigen. Die Freunde und Kollegen, mit denen ich gespielt hatte, waren plötzlich – einer nach dem anderen – sehr weit weg. Das war eine wichtige Erfahrung für mich. Ich liebe es, mit Leuten zusammenzusein, zusammenzuarbeiten, zusammen zu denken und genre- und spartenübergreifend zu konzipieren. Aber diese Erfahrung damals hat mir die Einsicht verschafft, daß ich allein bin. Mit meinem Problem. Meinem Ansatzproblem. Meinem Lebensansatzproblem.

Ich habe dann in Graz und in Wien Arrangement studiert und sehr viel für den kommerziellen Bereich gearbeitet. Langsam ging es wieder irgendwie mit meiner Lippe. Ich schrieb nicht nur Arrangements, sondern hatte mich

Wolfgang, Donner - Mann.

mit meiner Behinderung zu arrangieren angefangen, spielte in Big Bands, schwamm in der Blechbläsermasse mit. Später fand ich Kontakt zu anderen Ensembles, deren Musik nicht kommerziell ausgerichtet war. Manchmal hatte ich ein Solo. Von hundert Soli waren neunundneunzig im Keller. Oft hatte ich das Gefühl der totalen Demut: Mein Leben liegt nicht in meinen Händen. Meine Lippen können ihr eigenes Ziel, nämlich Trompete zu spielen, nicht mehr formulieren. Die Frage »Warum ich?« stellte sich mir nie. Sie ist nur die Oberfläche des eigentlichen Problems und somit unbeantwortbar. Niemand kann sagen, warum er und nicht jemand anderer. Ich spürte, daß ich tiefer gehen mußte, um zu erfahren, wie es mit mir weitergehen konnte.

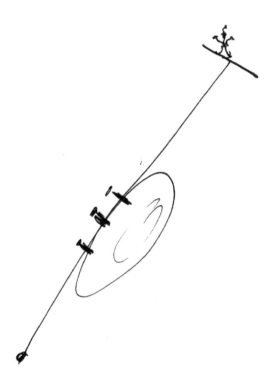

Pete.
v. Papa.

Als ich nach England ging und andere Formen der improvisierten Musik kennenlernte, abstraktere und freiere musikalische Kommunikationsmöglichkeiten, begann ich, mich meines Problems anzunehmen. Und somit meiner selbst, so wie ich bin. Ich begriff irgendwie, daß Improvisation auch bedeuten kann, mit einem Handicap zu leben, es nicht nur zu kaschieren, zu überspielen. Und fünfzehn Jahre, nachdem mich meine Oberlippe bei meinem ersten Konzert in Stich gelassen hatte, spielte ich wieder einmal auf der Trompete einen Ton, von dem ich das Gefühl hatte: Der gilt jetzt!

In dieser Zeit begann auch GOMBERG in mein Leben zu treten. Er war mein Lehrer, mein Kontrollorgan, mein Verbündeter. Er war alles. Da es einen solchen idealen Menschen – Denker, Wissenschaftler, Musiker – nicht gibt, gar nicht geben kann, habe ich ihn mir erfinden müssen. In verschiedensten Situationen fragte ich mich immer: Wie würde GOMBERG jetzt reagieren? Und so verhielt ich mich dann auch.

In Indien nahm ich dann die CD »Gomberg« auf. Ich habe öfters Indien bereist, weil es in der dortigen Kultur mehr um das Sein geht. Das musikalische Material war ursprünglich nur zur Auflockerung meiner Lippen gedacht. Die Trompete war bloß ein Instrument zur Verständigung mit meinem Körper. Ich hatte zwar das Budget, um die CD in einem Studio in Wien aufzunehmen, doch ich »fragte« GOMBERG und »bekam zur Antwort«: Wir leben in einer Zeit, in der alles »gehiped«, gefunkelt, poliert, in Rahmen gestellt und wie ein Werbeprodukt beleuchtet wird. Tontechnisch ist alles durchgestylt. – Also: Mach das Gegenteil.

So entschied ich mich, nach Indien zu fahren und mit einem kaputten Mikrophon und einem Minidisc-Recorder die CD im Hotelzimmer aufzunehmen. Mit allen Hintergrundgeräuschen. Indien kann sehr laut sein. GOMBERG wußte das ...

[Das Gespräch führte Christian Baier. Abbildungen aus Skizzenbüchern von Franz Hautzinger.]

Anke Weiller
Das Handicap-
Prinzip

In der »Frankfurter Allgemeinen Sonntagszeitung« vom 4. Juli 2010 erschien ein Interview von André Müller mit dem Regisseur und derzeitigen Intendanten der Wiener Festwochen, Luc Bondy. Man braucht weder über die Biographie des omnipräsenten Theatermachers eingehender Bescheid zu wissen noch persönlich Bekanntschaft mit ihm geschlossen zu haben, um in dem Gespräch fortwährend an das »Handicap-Prinzip« der israelischen Biologen Amotz und Avishag Zahavi erinnert zu werden.

Handicap – Das provozierte Schicksal 1975 stellten die beiden eine Theorie auf, die Erkenntnisse aus Evolutions- und Verhaltensforschung fusioniert und die Existenz von visuellen, akustischen und olfaktorischen Ornamenten in der Tierwelt zu erklären sucht, also Handicaps, die Lebewesen bei ihrer Flucht vor Freßfeinden behindern und ihnen gleichzeitig soziale Vorteile verschaffen. Als signifikantestes Beispiel dient den Theoretikern der männliche Pfau. Sein langer Schwanz ist ihm bei der Flucht vor natürlichen Feinden hinderlich. Gleichzeitig sendet dieses Handicap ein wichtiges Signal an die Umwelt: Das Pfauenmännchen scheint über so viele Kraftreserven zu verfügen, daß es sich den schmückenden »Luxus seiner Behinderung« leisten kann. Dadurch wird es vom Pfauenweibchen als besonders potent und sexuell attraktiv wahrgenommen.
Die Glaubwürdigkeit sozialer Signale erhöht sich, wenn der Signalgeber ein Handicap – und damit auch ein lebenserschwerendes oder lebensbedrohendes Risiko – in Kauf nimmt. Je größer der Aufwand, den die Produktion eines solchen Signals in Anspruch nimmt, umso zuverlässiger erscheint es der Umwelt, da die Natur keine Vergeudung von Kraft und Energie duldet. Das Handicap täuscht nicht oder nur teilweise vorhandene Potentiale vor und vermittelt den Eindruck, von ihnen zu profitieren.
Diesbezügliche Beobachtungen sind auch bei Gazellen zu machen: Entdeckt ein Tier einen Beutegreifer in seiner Nähe, springt es mit allen vier Beinen zugleich in die Luft, anstatt sofort die Flucht zu ergreifen. Dieses scheinbar sinnlose Verhalten gibt dem Feind zu verstehen, daß er von seiner Beute gesehen wurde, und signalisiert ihm, daß die Gazelle trotz solcher Zeitvergeudung noch immer in der Lage ist, ihrem Gegner zu entkommen. Der Beutegreifer kann aus den Sprüngen die seinem Opfer innewohnenden Potenzen ermessen und für sich entscheiden, ob er seine Kräfte in die Verfolgung seiner Beute investieren oder sein Interesse einem schwächeren Tier zuwenden soll. Die Gazelle wiederum erspart sich den Kräfteverschleiß einer Flucht.
Ein ähnlicher Umgang mit Handicaps zeigt sich bei Kaninchen und ihrem leuchtenden, die Verfolgung in der Dämmerung erleichternden Hinterteil, beim Brunftgeschrei der Hirsche, durch das Freßfeinde angelockt werden,

bei Fasanen und ihrem auffälligen Gefieder oder den langen, ermüdenden Balzflügen der Lerchen. Das Löwenmännchen nimmt den Hitzestreß seiner Mähne in Kauf. Ihre Ausprägung und dunkle Färbung signalisieren hohen Testosteron-Spiegel und gute Ernährung und somit der Umwelt Kraft und Stärke sowie dem Löwenweibchen gesundes Erbgut für die Nachkommenschaft.

Mentale Verortung Der Interviewer beginnt mit einer für Luc Bondy »unerträglichen Frage«, bei der, so Müller, »Sie durch den Plafond schießen, wie Sie in einem früheren Interview sagten«. Bondy: »Das habe ich erwartet.«
Als Theatermann weiß Bondy natürlich um die gezielte Setzung von Signalen unterhalb der Bewußtseinsschwelle. Mit seinem lapidaren Satz positioniert er sich in der Gesprächssituation: In der Regel werden ihm nur »unerträgliche Fragen« gestellt; warum sollte es diesmal also anders sein? Indirekt gibt Bondy zu verstehen, daß er ein Viel-Interviewter ist, eine Person, an der öffentliches und allgemeines Interesse besteht. Seinen künftigen Aussagen verleiht er damit mehr Gewicht. Die betonte Erwartung jener »unerträgliche Frage« installiert gleichzeitig eine Opferhaltung: Bondy ist ein Mann, der immer wieder »unerträglichen Fragen« *erdulden* muß. Er ist es gewohnt zu *leiden*.
Die Frage ist denkbar simpel, ein guter, wenn nicht gerade inspirierter Einstieg für ein Gespräch mit einem Theatermacher: »Warum sind Sie zum Theater gegangen?« – Bondy hat bereits rhetorisch und atmosphärisch den Boden für die Antwort bereitet. Er hält sich nicht lange mit all den Komponenten auf, die Menschen ans Theater führen, jenen einsamen Inselstrand, an den es zu allen Zeiten schon viele Schiffbrüchige gespült hat, Menschen, die geliebt werden wollen und bereit sind, dafür sehr viel in Kauf zu nehmen. Gleich ans Eingemachte geht Bondy und bemüht bedeutungs- wie assoziationsangereicherte Reizwörter der Zeit, die Assonanz mit der Leserschaft herstellen: Theater ist »*Therapie* gegen die *Einsamkeit* und gegen die *Todesangst,* weil das Denken bei den Proben, das aus der *Kommunikation* mit den Schauspielern entsteht, von Natur ein flacheres Denken ist«. Er hat es einmal »horizontales Denken« genannt, weil »man nicht so in die Tiefe geht wie zum Beispiel beim Schreiben«. [Bondy schreibt auch, muß man wissen.] »Man muß Kompromisse machen.« Das »vertikale Denken« erträgt er nicht, »weil es ins Nichts führt«. Unter der rhetorischen Oberfläche enthält diese Aussage vier grundsätzliche psychologische Signale, aus denen sich der weitere Gesprächsverlauf speist: 1. Einsamkeit und Todesangst bestimmen Bondys therapiebedürftiges Erfolgsleben; 2. das Theater ist nur eine Seite seines Künstlerdaseins, denn da gibt es auch noch die Sphäre des Schriftstellers, er ist also ein Vielseitiger und Zerrissener; 3. Bondy ist zu ständigen Kompromissen mit seiner Umwelt gezwungen, und das zehrt; 4. er scheut den gedanklichen Tiefgang, zu dem er

intellektuell befähigt wäre, nutzt also ein ihm gegebenes Talent nicht, um das ihn viele Menschen beneiden. Er empfindet einen von anderen als solchen angesehenen Vorzug als persönliches Handicap.

Alle vier subkutanen Signale zielen darauf ab, das Leben des Erfolgreichen mit Schattenseiten zu versehen. Andeutungen wecken Neugier. Dem Außenstehenden wird bedeutet: Bondy führt ein besonderes Leben, aber keines, um das man ihn beneiden sollte. Und er führt es nur, wie er erläutert, weil »ich bei der Arbeit mit den Schauspielern oder, wenn ich Oper inszeniere ...« – Schauspiel UND Oper – Bondy, der Vielseitige – »... mit den Sängern die Zeit vergessen kann. Ich vergesse mich selbst.« – Der medial Omnipräsente, der die halbe europäische Theaterszene an der Leine führt, der Theatermacher, der sich um sein Fortkommen aufgrund einer Vielzahl von Angeboten und um sein Auskommen durch seine Ehe mit einer Industriellentochter keine Sorgen machen muß, möchte SICH vergessen. Er will nicht immerzu an sich denken müssen. [Das besorgen andere für ihn, die Journalisten, die Theaterintendanten, die Festivalmanager und das Publikum.] »Selbstvergessenheit ist das Glück«, sinniert er. [Aristoteles' *Nikomachische Ethik* und das fernöstliche *Tao-te-king* als wissendes Augenzwinkern.] Und deshalb ist er auch so »gepeinigt von Schlaflosigkeit« – das nächste Reizwort – »denn, wenn ich einschlafen will, kommen die Gedanken.«

Verallgemeinerung als Kommunikationsbasis »Welche?«, möchte der Interviewer wissen. Bondy ziert sich etwas: »Das ist so ein Kaleidoskop unvollständiger Gedanken ...« [Bondy, der Regisseur formvollendeter Inszenierungen, denkt unvollständig!] »Die sind vollkommen zersplittert und unfruchtbar.« [Unfruchtbar! – Er! Der unentwegt Kreative, der Dauerfruchtbare ...]

Und was macht er, wenn er einmal nicht einschlafen kann? – »Ich nehme Schlaftabletten.« Bondy geht bei seinen Aussagen sehr strategisch vor: Subkutan einwirkende Andeutungen haben das mentale Feld für das Verständnis seiner Person vorbereitet; nun folgen häppchenweise Indizien, die konkretere Rückschlüsse auf sein Leben und seine Person zulassen. Und übergangslos kommt Bondy dann zur Sache und benennt die tragischen Umstände seiner Gemütsverfassung: »Es ist blöd, es zu sagen ...« [natürlich ist es nicht blöd, doch es zeugt von selbstkritischem Reflektionsvermögen] »... aber wüßten wir mehr über den Tod, gäbe es nicht diese Angst. Wir sind dazu verdammt ...« – wie Orest in Sartres »Fliegen« zur Freiheit »verdammt ist«, wie Heidegger unentwegt von Verdammung spricht und Krimi-Autor Stieg Larson von »Verdammnis«? – »... nichts über den Tod zu wissen, und wir haben Angst vor diesem Ungewissen. Wir haben keine Angst vor einem bestimmten Zustand und auch nicht davor, daß wir das Leben verpassen.«

Interessant bei dieser Aussage ist die plötzliche Verallgemeinerung eines individuellen Zustandes, nämlich der eigenen Schlaflosigkeit, in ein »Wir«: WIR sind verdammt, WIR wissen nichts über den Tod, WIR haben Angst ... – Bondy überträgt sein persönliches Befinden auf die Menschheit, sucht Schulterschluß, Verbündete, Leidensgenossen und Leidensgefährten. WIR sind alle gleich Leidende. Wir widersprechen einander nicht. Eine Krähe hackt der anderen nicht das Auge aus ...

Signal 1: Lebensbeeinträchtigung Kaum hat Bondy rhetorisch einen »Wir«-Zustand begründet, einen gemeinsamen Nenner, auf den sich jedes Menschenleben herunterbrechen läßt, eine Verständigungs- wie Verständnisbasis, stiehlt er sich als Einzelschicksal wieder aus dem allgemeinen Zusammenhang und läßt uns – sein Wir – als gesichtslose Masse im Allgemeinen zurück: »*Ich* war sehr oft krank, und als *ich* vor eineinhalb Jahren vier Monate im Krankenhaus lag und mich nicht mehr bewegen durfte, weil *mein* Arzt sagte, daß, wenn ich mich bewege, mein Rücken bricht, hat *mich* der Peter Handke besucht. Da habe *ich* zu ihm gesagt: Es ist vollkommen wurscht ...« – dialektales Einsprengsel, verbale Erdung – »... ob man liegt oder geht oder steht, es ist kein Unterschied, die Zeit vergeht so oder so.«

Daß die Zeit vergeht, so oder so, ist eine Binsenweisheit. Aber Luc Bondy sagte sie zu niemand Geringerem als zu DEM Peter Handke – die Wahl des landsmännisch-vorangestellten bestimmten Artikels vor dem Personennamen suggeriert zwischenmenschliche Verbundenheit und eine gewisse verbale Bodenständigkeit – während eines viermonatigen Krankenhausaufenthaltes vor eineinhalb Jahren. Wenn zwei Intellektuelle Binsenweisheiten austauschen, verbirgt sich dahinter meist eine tiefe Lebensverzweiflung, über die sie schon soviel geredet, geschrieben und nachgedacht haben. Und doch bleibt ihnen nach all ihrem hochkünstlerischen Handeln, ihrem hochästhetischen Empfinden, ihrer tiefen und selbstquälerischen Weltreflektion nur eines: der Gemeinplatz. Dafür, daß ihm die Zeit so egal ist, ist es Bondy sehr wichtig, der Leserschaft die genaue Dauer seines Klinikaufenthalts wissen zu lassen. Vier Monate sind nämlich eine lange Zeit, gemessen am Selbstbehalt, den ein Patient für ein vier Monate von ihm belegtes Spitalbett zu entrichten hat. Bondy hat offensichtlich eine gute Zusatzversicherung. Die muß man sich erst einmal leisten können! »Eine gute Ablenkung vom Denken ist auch die Liebe«, legt André Müller dem Gespräch ein Seitengleis. »Ist Sexualität die Rettung?« – »Kann sein«, meint Bondy, »aber die dauert ja nur sehr kurz.« [Das läßt Rückschlüsse zu ...] »Die Selbstvergessenheit im Sex wird immer kürzer, je älter man wird.« – Das ist naturbedingt. Wieder ein Gemeinplatz, mit dem sich der Intellektuelle in einen Zusammenhang zu oponieren sucht, der ihn mit seinem Publikum

gleichstellt. Gleichzeitig postuliert sich er, der Künstler [Kunst ist ja bekannt-
lich eine Gegenwirklichkeit zur Natur], als Opfer der allgemeinen Natur, der
unabänderlichen Umstände, gegen die sein Geist vollkommen machtlos ist.
Einmal mehr ist er Opfer, dem mittlerweile aufgrund seines Alters auch das
Selbstvergessen in der Sexualität versagt ist. – »Es gibt wahrscheinlich nichts
Schwierigeres, als sich gehen zu lassen.« [Diesen Satz hören Sexualtherapeuten
beinah jeden Tag.] »Ich nehme die Tabletten« – großes rhetorisches Geschick:
DIE Tabletten, die ganz bestimmten Tabletten, die namenlosen, die omi-
nösen ... – »nicht nur zum Schlafen, sondern auch zur Beruhigung.« – Und
da sind wir [endlich!] an dem Punkt angelangt, an dem uns Luc Bondy von
Beginn des Gesprächs an haben wollte. Wir sind nun aufnahmebereit für sein
Selbstbekenntnis, das Eingeständnis seines Handicaps: »Ich bin ein durch
und durch zerrissener Mensch. Als ich vor drei Jahren einmal mit Jane Birkin
zusammensaß« – Namedroping, der Pfau fängt an, seinen Schwanz aufzu-
fächern – »erzählte sie mir, sie schlucke noch mehr als ich. Da war ich ganz
froh.« Damit vermittelt er seinem Publikum einen weiteren Blick hinter die
Kulissen des Erfolgs: Medikamentenabhängigkeit ist ein Preis, den Berühmte
wie Luc Bondy oder Jane Birkin zu entrichten haben. Ein zusätzliches Indiz
für seinen Opferstatus ist gesetzt.

Nun wissen wir zwar, daß Luc Bondy ein zerrissener Mensch ist, aber diese
Information läßt sich noch toppen: »Ich quäle mich selbst. Ich bin ein sehr
genußfreudiger Mensch, aber ich quäle mich. Ich bin Hedonist und zugleich
Masochist. Das liegt nah beieinander.« Ein Sexualwissenschaftler würde Bondy
widersprechen, aber gerade die gewagte Kombination von Hedonismus und
Masochismus verleiht ihm den Nimbus des Außergewöhnlichen.

Signal 2: Lebensbedrohung   »Ich bekam mit fünfundzwanzig Jahren ...«
– Mit 25! Man stelle sich das mal vor! – »... die erste Krebsdiagnose. Die
Form des Tumors, den ich habe, nennt man Teratom. Das ist eine angeborene
Geschwulst, die entsteht, wenn man eigentlich Zwilling ist. Der zweite Fötus
wird aber, statt sich zu entwickeln, vom anderen absorbiert. Diese Spaltung
ist nun in mir immer da. Ich bin vollkommen widersprüchlich.« Nicht etwa
eine weiterverbreitete Behinderung setzt Luc Bondy seit seinem fünfundzwan-
zigsten Lebensjahr zu, sondern es ist ein ganz spezieller und seltener Tumor.
Nicht jeder hat so was! Das Geschwür hat nicht nur Auswirkungen auf die
persönliche Lebensführung, sondern auch auf die Persönlichkeitsstruktur des
Regisseurs: Er hat einen Zwillingsbruder in sich, trägt also die doppelte Last.
Archaisch-kannibalistische Bildwelten steigen assoziativ im Leser auf. Der
Opfermythos, an dem Bondy rhetorisch baut, verfestigt sich immer mehr.
Wie wirkt sich denn diese tragische Gespaltenheit aus? – »Ich bin einerseits

jemand, der an sich selbst sehr hohe Ansprüche stellt, andererseits will ich das gar nicht. Ich verabrede mich gern ...« [Bondy ist gesellig.] »... esse und trinke gern, ich liebe den Luxus und möchte die Zeit vergeuden.« [Wer nicht?] Aber er kann es nicht, kann es sich einfach nicht »gestatten«. Hedonist, Masochist, den eigenen Zwillingsbruder in sich – das muß ja kaum auszuhalten sein! »Ich habe schon viele Anläufe zu einer Psychoanalyse gemacht, in Paris, in Wien ...« – *Weltstädte,* für einen Vielbeschäftigten wie Bondy nur mit Flugzeug zu erreichen. Man darf sich nicht ausrechnen, wie hoch die Aufenthaltskosten in diesen Städten sind, denn mit einer einzigen psychotherapeutischen Sitzung ist es bei der großen Leidenslast, die Bondy bisher offenbarte, nicht getan. Der Pfauenschwanz fächert sich weiter auf ... – »überall« – auch im psycho-sozialen Zentrum in Berlin-Zehlendorf oder in Halberstadt im tiefsten Dunkel-Deutschland? – »Aber ich habe das immer abgebrochen.« [Wenn ein normaler Kassenpatient eine von der Krankenkasse bezuschußte Psychotherapie abbricht, wird ihm keine weitere gewährt. Er wird seinem Leiden überlassen.] »Ich bin vor bestimmten Erkenntnissen immer geflohen.« Diese Erkenntnis-flucht kann sich ein Großteil seines Publikums nicht leisten. Das ist eben der Unterschied zwischen Luc Bondy, dem Opfer seines *persönlichen Zustandes*, und den anderen, den unzähligen Opfern der *allgemeinen Umstände*.

Bondy ist, bekennt er, nie mit sich zufrieden. [Jahrzehntelang war es dafür die Theaterwelt mit ihm, erst in den letzten Jahren bröckelt das Image etwas, und in New York und München wird seine »Tosca«-Inszenierung ausgebuht.] Er hätte mehr aus sich machen können. [Wer nicht? In nekroskopischen TV-Serien wie »Six feet under« oder »Dead like me« ist diese Phrase Leitmotiv.] Er hätte »weitergehen können, im Schreiben, im Denken«. Seinen Vater, den Schrift-steller, bewundert er für seine Disziplin. Bondy hat »ein schlechtes Gewissen. Das ist mein Abgrund.« [Subtext: Wie dumm seid ihr doch alle, die ihr mich bewundert, in mir einen großen Regisseur seht und meine Bücher kauft! Wie niedrig sind doch eure Ansprüche, während meine so hoch sind, daß ich selbst ihnen nicht genügen kann! Und überhaupt: ABGRUND ... – Ein weites Asso-ziationsfeld von der biblischen Apokalypse bis zu Kierkegaard, Nietzsche und Tarkowski. Der Mensch am Abgrund. Luc Bondy am Abgrund. Wer lange genug in einen Abgrund blickt, in den blickt auch der Abgrund hinein ...]

Aber was ist es denn nun, das Luc Bondy so schwer belastet? – »Es ist Hoden-krebs.« – Hodenkrebs hat Bondy und fühlt sich – Seitenhieb gegen die popu-lärwissenschaftliche Verpsychologisierung von Krebs, der gewiß viele Leser dieses Interviews anhängen – genötigt zu betonen: »In diesem Bereich habe ich in meiner Jugend eigentlich nicht viel verdrängt.« [Christoph Schlingensief[1] hat Lungenkrebs und gibt mit schier unerschöpflichem Atem ein Interview

---

1] Zum Zeitpunkt, als dieser Text verfaßt wurde, lebte der deutsche Theatermacher noch.

nach dem anderen, macht seine Erkrankung zum Thema von bislang drei Theaterperformances und bekommt als vom Tod Gestreifter von der deutschen Bundesregierung Förderungsmittel für sein von Klaus »Fitzcarraldo« Kinsky inspiriertes Opernprojekt in Afrika. Bondy war in jungen Jahren ein großer »Womenizer«, ein Stecher vor dem Herrn. Ihn, ausgerechnet ihn hat der heimliche Albtraum jedes Mannes getroffen: Hodenkrebs bereitet seiner regen sexuellen Potenz ein Ende. Das ist tragisch. Nicht einmal dieses »Vergnügen«, dieses Selbstvergessen hat ihm das Leben gelassen!]

Doch dem nicht genug. Er hat dazu noch Arthrose. »Aber als mir mein Chirurg« – MEIN Chirurg, wohlgemerkt! – »vor zwei Jahren« – vor anderthalb war der oben erwähnte viermonatige Krankenhausaufenthalt, hm, einmal nachrechnen … – »nach der schweren Rückenoperation« – Betonung auf »schwer«, »Rückenoperation« allein reicht nicht – »sagte, ich würde mein Leben lang Schmerzen haben, habe ich beschlossen, mich mit meinem Weh …« [ein altertümliches, ein archaisches Wort, das unabänderliches Schicksal suggeriert] »… zu versöhnen. Ich wehre mich nicht mehr.«

Natürlich hat er schon mal an Selbstmord gedacht. Vor allem, als er gegen die Schmerzen Morphium bekam. »Ich freute mich auf das Morphium.« – Herrgott, er bekam auch noch Morphium, als Süchtigmacher bekannt aus Film, Funk und Fernsehen! Die Medizin kennt doch heute andere gleich wirkungsvolle schmerzstillende Präparate, die den Patienten nicht der Gefahr der Abhängigkeit aussetzen. Aber Bondy gaben sie, diese fahrlässigen Ärzteschweine, Morphium! – »Ein Toxikologe …« – nicht jeder Spitalspatient bekommt Aufklärung durch einen Toxikologen! – »… hat mir erklärt, daß man die Schmerzen, wenn man süchtig ist, obwohl sie nicht mehr da sind, im Hirn produziert, um das Morphium zu bekommen und den Zustand, in den man dadurch gerät, diese Art Schwerelosigkeit und Sorglosigkeit, dieses Genießen des Augenblicks« – also alles, was Luc Bondy ohne Drogeneinfluß nicht kann [siehe oben], wonach er sich aber innigst sehnt [siehe unten] – »zu verlängern. Darin besteht die Gefahr, denn das kann tödlich enden.« – Ja, diese ständige Todesnähe! Manchmal »weine ich ganz grundlos. Ich wache auf am Morgen und, peng, schon fließen die Tränen.«

Signal 3: Opferstatus Wie hält er das nur aus, der Jude – »aber kein gläubiger« – Luc Bondy? Denn nicht nur von seinem fünfundzwanzigsten Lebensjahr an von schwerer Krankheit – die viele anderen längst das Leben gekostet hätte – bedroht, häufig leidend und zu Spitalsaufenthalten gezwungen, in seiner Manneskraft eingeschränkt, nein, auch noch Verwandter der Verfolgten, der Denunzierten und Entrechteten, der Vertriebenen und Vergasten ist er, Opfer der Geschichte schlechthin. [Überhaupt – diese derzeitige Tendenz im deutschen Intellektualitätsgetriebe, sich zu Religionsgemeinschaften und Ethnien zu bekennen: Schingensief bezeichnet sich als gläubigen Katholiken, Jürgen Flimm, neuer Intendant der Berliner Staatsoper, läßt sich in den Vorspannen seiner Interviews gerne als »unorthodoxen Christen« moderieren, der Bibelexegese betreibt. Andere Künstler und Künstlerinnen nehmen für sich in Anspruch, durch Abstammung verfolgten Minderheiten oder anderen Nationalitäten anzugehören. Manches Accent wird da einem Familiennamen aufgesetzt. Und plötzlich erscheint er fremdländisch, exotisch, irgendwie besonders, sticht aus der Masse hervor, edelt, adelt ...]

Aber die Schöpfung erachtet Bondy – Leiden klärt ab – angesichts der Greuel, die täglich geschehen, dennoch nicht für mißlungen. »Kein orthodoxer Jude würde es wagen, das zu behaupten.« [Und die Nicht-Orthodoxen, die Nicht-Gläubigen wie Luc Bondy?] – »Der Holocaust ist mittlerweile ein Teil unseres Daseins geworden. Ich würde, wenn ich es salopp ausdrücke, sagen ...« – und er drückt es natürlich salopp aus, ER, der hodenkrebskranke Jude mit Zwillingsbrudergeschwür in sich, darf es – »We are used to it.«

Nach diesen existentiellen Exkursen lenkt der Interviewer auf die unlängst in New York und München ausgebuhte »Tosca« und auf die künstlerische Lebenshemisphäre des Schwergeprüften.

Laut Bondy waren es in New York nicht nur Buhs, mit denen das Publikum seine Inszenierung bedachte: »Es fehlten nur noch die Gewehre, sonst hätte man mich erschossen.« Ausgerechnet ihn, den seit seinem fünfundzwanzigsten Lebensjahr von Krankheit gezeichneten nicht-gläubigen Juden, hätte man gleich erschossen, ihn, der, so erfahren wir weiter, »als Kind in verschiedenen Internaten« – alle Internatsromane von Musil bis Walser und Hesse schießen einem da durch den Kopf, viele enden mit Selbstmord – und dort immer »der Nachzügler war, die anderen waren die Stärkeren.« – Und zu den Büchern gesellen sich frühe Filme von Truffaut und die Schwarz-Weiß-Ästhetik der »Nouvelle vague.« – »Ich wurde auch oft verprügelt ...« Hand hat die rohe unverständige Masse an den einzelgängerischen, außenseiterischen Knaben Luc Bondy gelegt! »... bis ich mir gesagt haben ...« [Unverstanden war er sich sein einziger Gesprächspartner, alles mußte er mit sich selbst ausmachen.] »... es reicht, ich lasse mir das nicht mehr gefallen.«

Soziale Positionierung Das hat ihn auch bewogen, die Position eines Intendanten anzustreben. »Ich will nicht in Intendantenzimmern herumsitzen und antichambrieren ...« – wie er dies in jungen Jahren [nie vergessen: mit 25 schon die Krebsdiagnose!] an der Berliner Schaubühne ausgiebig tat und nach jeder Inszenierung schnappte, die ihm Intendant Peter Stein strategisch-gönnerhaft gewährte – »das finde ich entwürdigend.« Auf die Frage nebenbei, ob er als

Opernregisseur Noten lesen könne, antwortet er: »John Lennon konnte auch keine Noten lesen.« Will heißen: Ich bin ein so guter Regisseur, daß ich mit meiner Notenleseschwäche leben [und sehr gut verdienen] kann.

Man plänkelt noch ein wenig über Zeffirelli, den Bondy schon immer als »drittklassigen Regisseur« bezeichnet hat, und über junge Künstler, die dauernd interpretieren, weil sie die Kritiker beeindrucken wollen. Das findet Bondy »grauenvoll«. Er selbst schreibt. Ein neues Buch? »Ich schreibe immer. Es muß kein Buch daraus werden. Ich schreibe so, wie man Klavier spielt« – Ohne Noten lesen zu können? John Lennon konnte das. – »Oder ich bringe mein inneres Chaos in Form ...« und fügt, als ob »Inneres Chaos« nicht genug sagte, noch hinzu: »... meine Not.« Wieder so ein altertümliches Wort, das so gar nicht in unsere Zeit paßt, ein Lehnwort aus einer empfindsameren Sprachepoche, nicht jener vergröbernden grauenhaften, derer sich die jungen Regisseure [siehe oben] bedienen.

Aber auch eine großformatige Feuilletonseite ist irgendwann voll, und die Rubrik »Fragen Sie Reich-Ranicki« muß auch noch untergebracht werden. Man schwenkt ins Finale, das Resümée, der Strich unter die Lebensrechnung, die niemals aufgeht. »Zufällig« hat Interviewer André Müller ein Proust-Zitat parat. Über den Tod eines Schriftstellerphilosophen. Wie Bondy auch einer ist. Er läßt es sich vorlesen. »Schön«, kommentiert er versonnen, irgendwie entrückt. Dann holt Bondy noch einmal aus, groß, ganz offen, mit Sätzen, so knapp und staccatohaft-definitiv wie die alttestamentarisch-finstere Bestandsaufnahme des Predigers Salomon [Buch Kohelet]: »Ich habe eine Frau, und ich habe zwei Kinder, ich habe Freunde, ich bin im Kulturleben verankert, aber ich fühle mich trotzdem immer allein.« Nicht bloß *trotzdem allein*, sondern *trotzdem* IMMER *allein*! »Ich fühle mich fremd unter den Menschen. Man denkt immer ...« – wieder dieses IMMER, dieses Ausweglose, dieser fortwährende Irrtum, obwohl man es ja besser weiß ... – »... man käme, wenn man Familie hat, in ein Gleichgewicht, aber das stimmt nicht. Es ist wichtig. Es ist nicht nichts. Es ist ein Trost.« Rückverweis auf die Tränen, die Bondy [siehe oben] manchmal grundlos kommen. »Aber es erlöst nicht von der Einsamkeit.« ERLÖSUNG, ja, ach, endlich erlöst sein! »Ich wünsche mir Licht.« [Goethes letzte Worte: Mehr Licht] ... »Ich wünsche mir Leichtigkeit ...« [wie viele Figuren in Tschechow-Stücken, die Bondy sehr gerne inszeniert] »... und manchmal gelingt sie mir.« Wie schön! Er überwindet sein Handicap. Er findet zur lebensspendenden Hoffnung: »Ich gehe auf der Straße und bin plötzlich froh, ohne zu wissen warum.« Ähnliches vermerkt Handke in seinen Tagebüchern *Das Gewicht der Welt*. Dann holt ihn knallhart die Realität ein: »Doch im nächsten Augenblick ist es schon wieder vorbei.« Punkt. Black. Das Spaltenende ist erreicht.

Signalrezeption Wir sind entlassen. Bleiben zurück. Wir Zurückgebliebenen. Sind allein. Mit vielen Fragen.

Wie konnte ein Mann mit so vielen Handicaps, ein Mensch – wie du, wie ich – unter so permanentem psychischen und physischen Leidensdruck nur zu einem der mächtigsten und einflußreichsten Drahtzieher der europäischen Theaterszene werden? Wie kann man ganz oben sein und zugleich mit beiden Beinen schon im Grab? Wie ist es möglich, daß uns, Tumbe, stumpf vor uns Hinleidende, Phantomschmerz-Befangene, die keine Ahnung von wahrem »Weh« und echter »Not« haben, ein solcher Hiob nur mit seinen *form*vollendeten, oft so lichten und leichten Inszenierungen beeindrucken, wenn sein Herz dabei schwer ist von soviel persönlicher Qual? Wie kann man da immer noch so abge-, so verklärt, nein: so verschmitzt zufrieden lächeln wie Luc Bondy auf den vielen Photos im Feuilleton?

Nachtrag: Im April 2011 wurde überraschend der Vertrag von Olivier Py, Intendant des Odéon-Theaters, gekündigt. Ab 2012 übernimmt Luc Bondy die Leitung dieses Hauses, das zu den vier Pariser Nationaltheatern gehört ...

Soziale Signale gewinnen an Glaubwürdigkeit, wenn ihre Produktion mit dem Aufwand [vermeintlich] überschüssiger Kräfte und der Überwindung von Beeinträchtigungen verbunden ist.

Barbara Höller
kopflastig

GERHARD RÜHM

DAS PECH, GLÜCK ZU HABEN

operette für einen sprecher

(2009)

1. akt. slowfox

wie jede woche hatte luís ribeiro im lottoladen "café brandão" in
einem vorort des städtchens barcelos seinen lottoschein abgegeben.
sechs euro einsatz kostet er. davon hat er vier, seine freundin
cristina simões nur zwei euro bezahlt, dafür jedoch ihrem liebsten
die glückszahlen vorgesagt. der schein wurde abgegeben und entpuppte
sich als volltreffer.

2. akt. walzer und galopp

schon wenig später überwies die lottogesellschaft die fünfzehn millionen euro auf ein eigens eingerichtetes konto. zeichnungsberech-
tigte waren luís, cristina und cristinas eltern. als luís nun geld
vom konto abheben wollte, um seiner ärmlichen bauernfamilie etwas
zu helfen, sperrten die eltern die auszahlung. sie sagten, sobald
er cristina heiraten würde, hätte er auch freien zugriff auf das
geld.
der mann wollte sich eine hochzeit nicht diktieren lassen und bestand auf seinem anteil: siebeneinhalb millionen euro. der streit
begann, es kam zu einem prozess. der vorschlag, die summe in zwei
gleiche hälften aufzuteilen, wurde von der partei cristinas abge-
lehnt und das geld auf richterlichen beschluss eingefroren. das
paar war restlos zerstritten.

3. akt. trauermarsch und marsch

"ich bin gekränkt und verletzt, aber nicht traurig. vielleicht ist
es auch besser, dass alles so kam", sagte der junge mann. so hätte
er den wahren charakter seiner freundin und ihrer familie rechtzeitig erkennen können.

1. akt. slowfox

(schlendernd)

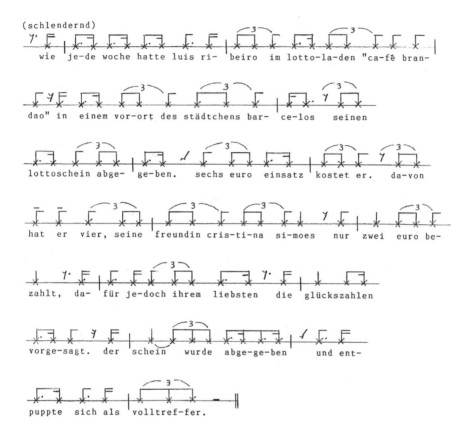

wie je-de woche hatte luis ri- beiro im lotto-la-den "ca-fé bran-

dao" in einem vor-ort des städtchens bar- ce-los seinen

lottoschein abge- ge-ben. sechs euro einsatz kostet er. da-von

hat er vier, seine freundin cris-ti-na si-moes nur zwei euro be-

zahlt, da- für je-doch ihrem liebsten die glückszahlen

vorge-sagt. der schein wurde abge-ge-ben und ent-

puppte sich als volltref-fer.

2. akt. walzer und galopp

(beschwingt)

schon wenig spä-ter-ter ü-ber-ber- wies die die lotto-ge-

sellschaft die fünfzehn mil- lio-nen-nen euro auf ein ein ein

eigens ein- einge-ge- richte-tes konto-to. zeichnungsbe- rechtigte

wa-ren luis, cris- ti-na und und und cris- ti-na-nas eltern.

als als als luis nun nun geld vom vom konto-to abhe-ben wollte,

(prosa)

um seiner ärmlichen bauernfa- mi-li- e etwas zu helfen, sperr-

ten die eltern die auszahlung. sie sagten, sobald er cristina heiraten

(sehr schnell)

würde, hätte er auch freien zugriff auf das geld. der mann wollte

sich eine hochzeit nicht dik- tieren lassen und be- stand auf seinem

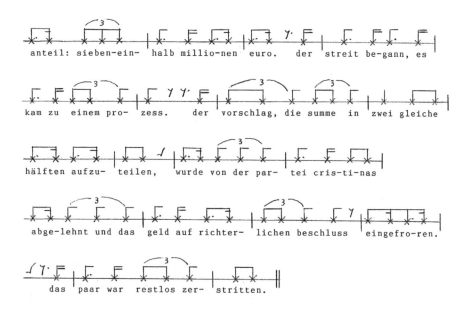

anteil: sieben-ein- halb millio-nen euro. der streit be-gann, es

kam zu einem pro- zess. der vorschlag, die summe in zwei gleiche

hälften aufzu- teilen, wurde von der par- tei cris-ti-nas

abge-lehnt und das geld auf richter- lichen beschluss eingefro-ren.

das paar war restlos zer- stritten.

3. akt. trauermarsch und marsch

(getragen)

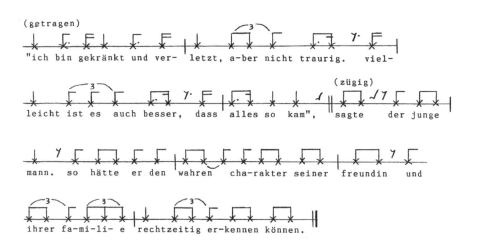

"ich bin gekränkt und ver- letzt, a-ber nicht traurig. viel-

(zügig)

leicht ist es auch besser, dass alles so kam", sagte der junge

mann. so hätte er den wahren cha-rakter seiner freundin und

ihrer fa-mi-li- e rechtzeitig er-kennen können.

**Musikalischer Nachtrag zu dem im Band »Schlager & Treffer [Eine Anthologie]«
enthaltenen gleichnamigen Gedicht [Motto: Nachgeholte Chance …]**

Mein Handicap läßt mich nicht kalt   Auch nicht im Ausland: gutmeinend, **Stephan** mich fördern wollend, schickt der Leiter des literarischen Programms der Alten **Eibel Erzberg** Schmiede, Dr. Kurt Neumann, Anfang der Neunzigerjahre des 20. Jahrhunderts, 80 meiner Kurzgeschichten an einen renommierten deutschen Verlag. Ein Lektor des Verlags ruft an und lädt mich zu einem Gespräch nach Frankfurt ein. Im Zugabteil seh ich mich bereits als Kollege von Thomas Bernhard, Max Frisch, Robert Menasse, Christian Uitz, Max Horkheimer, Th. W. Adorno … In München hält der Zug einige Minuten, und ich träume von mir zufliegenden Stipendien, Preisen und allerhöchsten Auszeichnungen, sobald meine Kurzgeschichten beim Suhrkampverlag erschienen sind. In Frankfurt fahre ich mit dem Taxi zum Verlag. Wasche mir in der Verlagstoilette das Gesicht und denke an die Dichter, die hier auf der Toilette in den Spiegel geschaut haben und dachten: »Ach, bin ich mir fremd.«

Dann klopf ich an die Lektorentür. Zwei Tassen Kaffee stehen schon auf dem Tisch. Ich setz mich. Der Lektor kommt gleich zur Sache.

Wir machen Bücher mit Kurzgeschichten zu 150 Seiten, und jetzt hab ich 70 Seiten, also fehlen noch 80 Seiten, Sie müssen also noch 80 Seiten Kurzgeschichten schreiben

[Der Lektor gibt mir drei Kurzgeschichten zurück – das sind zehn Seiten.]

Ich: warum nicht die drei?

Lektor: die versteht niemand

Ich: aber der Hubsi Kramar, der Paul Harrather, die Elisabeth Wäger verstehen sie gut

Lektor: gut, die Kurzgeschichten versteht man nur in Wien

Ich: was wird da nur in Wien verstanden?

Lektor: das ist so – eine Tatsache

Ich schau mir die Kurzgeschichten an, und das Handicap wächst in mir. Das Handicap spricht mit meinem Mund: ich hab eine Idee. Sie drucken die schon vorhandenen 70 Seiten zweimal, und ich schreib eine lange Biographie. Das sind dann 150 Seiten

Lektor: das kann ja nicht Ihr Ernst sein

Ich: das ist mein Ernst

Lektor: das kann ja nicht ihr Ernst sein

Ich: das ist mein Ernst

Lektor [lehnt sich zurück]: das kann ja nicht ihr Ernst sein

Ich leere seine Kaffeetasse um und sage: das ist Spaß

Lektor: das kann ja nicht ihr Ernst sein

Ich leere meine Kaffeetasse um und sage: das ist auch Spaß

Lektor: das kann ja nicht ihr Ernst sein

Ich: das war Spaß – noch einmal Spaß

Während der Heimfahrt im Zug las ich stundenlang auf dem WC in meinen Augen [auf Grund des unglücklichen Ausgangs des Gesprächs mit dem Lektor zahlte der Verlag die Rückfahrkosten nicht]. Die Augen sind der Weg in das Innere des Menschen, sagen die Erwachsenen in Eisenerz. »Man muß nur tief genug hineinschauen«, sagen sie. Und ich schaute sehr tief und von allen Seiten. Bis nach Wien. Ohne ein Inneres in mir entdeckt zu haben, stieg ich aus dem Zug. Der Schaffner ging an mir vorbei, und ich befürchtete, im letzten Moment beim Schwarzfahren ertappt zu werden. Ich ärgerte mich und ärgerte mich und ärgerte mich über mich. Ich zieh mein bestes Gwand an, fahr mehr als zehn Stunden hin, übernachte, und dann kann ich nicht den Mund halten. Mein Handicap beherrscht mich und findet den Weg nach außen. Manche Menschen schreiben mir deshalb CHARAKTER zu.

Claire Horst
Kälte

Ob ich nicht friere? Ich friere selten. Natürlich kenne ich das Gefühl, daß die Finger langsam nicht mehr zu spüren sind, daß es schmerzt, einen Knopf zu öffnen. Ich habe meine Lippen schon blau werden fühlen, mein Körper funktioniert wie jeder andere. Das ist normal. Gut, im Moment ist mir ziemlich kalt. Das ist wohl nicht zu übersehen, oder? Und, was erwarten Sie jetzt? Soll ich schreien, weinen, um mich schlagen? Das ist nicht meine Art. Und überhaupt, glauben Sie wirklich, der Schmerz würde dadurch geringer? Ich glaube das nicht. Derartiges mache ich lieber mit mir selbst aus. Und taue ohne viel Aufhebens wieder auf, sobald es möglich ist. Daß ich so unterkühlt bin, hat selbstverständlich einen Grund. Wenn nicht mehrere.

Gerade komme ich zurück von einem Spaziergang quer durch den Stadtwald, der etwas mehr Zeit in Anspruch nahm, als ich geplant hatte. Ich gehe gern dort spazieren, es ist ruhig und einsam, ich kann meinen Gedanken nachhängen. Heute nahm ich einen langen Weg. Es ist November und schon ziemlich kalt, ich weiß. Doch diese Jahreszeit ist mir die liebste. Den aufdringlichen Anblick nackter Haut, dem man sich im Sommer kaum entziehen kann, erspart mir die winterliche Temperatur. Die Strecke, die ich heute gehen wollte, führt am See vorbei, der beinahe zugefroren ist, an der alten Fischerhütte und zum großen Teil durch unbebauten Wald. Manchmal kommt mir auf diesem Weg jemand entgegen, meistens ein älterer Mensch, der seinen Schäferhund oder Pinscher spazieren führt, fast immer bin ich jedoch ganz allein unterwegs. Allein auf der Welt, scheint mir. Ein schönes Gefühl.

Als ich vorhin den Weg zur Fischerhütte einschlug, war es schon fast dunkel. Der schmale Wanderweg knirschte unter meinen Füßen. Es hatte geregnet, der gefrierende Matsch war rutschig. Ich liebe das Geräusch, das meine Schritte auf dem Waldboden machen. Ich liebe auch den Geruch des Winterwaldes. Verschwiegen riecht er, sauber und menschenleer. So versunken war ich in meinen Gedanken, daß ich den Mann erst bemerkte, als er direkt vor mir stand. Er war von rechts gekommen, manchmal kreuzen sich die Wege in diesem Teil des Waldes. Guten Tag, sagte er. Wo wollen Sie denn hin? Den Mann begleitete ein großer, zottiger Hund, in dessen Fell Blätter und kleine Stöckchen hingen. Wahrscheinlich hatte er einen Hasen durch das Unterholz gejagt. Sind Sie ganz allein hier? Haben Sie denn keine Angst? Nein, sagte ich. Ich spüre so etwas nicht. Ich begleite Sie, sagte der Mann. Nein, das brauchen Sie nicht. Ich kenne mich hier aus. Es wird immer dunkler. Und als Frau so ganz allein, wer weiß, auf welche Gedanken das die Leute bringt. Da fällt mir so einiges ein, was einer einsamen Frau im Wald zustoßen kann, wenn sie auf den falschen Mann trifft, sagte der Mann. Ich bringe Sie nach Hause, keine Widerrede! Er griff nach meinem Arm und hakte sich bei mir ein. Der Hund lief voraus. Er interessierte sich nicht für mich. Schwer hing der Mann an meinem Arm. Seine dunkelgrüne Jacke war feucht und roch nach nassem Hund. Brauchte er mich als Stütze oder wollte er mir eine sein? Der Unterschied schien nicht klar. Ich brauchte jedenfalls keine Hilfe, doch nun schien es zu spät. – Wie sollte ich ihn jetzt noch abweisen? Er hatte sich schon in meiner Armbeuge eingerichtet wie ein Untermieter, der plötzlich, ungebeten mit vollgepacktem Möbelwagen vor der Tür steht und nie wieder weggehen wird.

In seiner rechten Hand trug der Mann die lederne Hundeleine, seine linke lag nach kurzer Zeit auf meiner Hüfte. Schnell hatte sie sich um meinen Körper herum bewegt. Seltsam war das, seit langer Zeit hatte ich niemanden mehr berührt, und dieser Fremde kam mir mit einer allumfassenden Selbstverständlichkeit so nah. Die Berührung hätte ich mir nicht ausgesucht, nicht hier und nicht von diesem Mann, doch ich ließ es über mich ergehen. Was hätte ich auch tun sollen? Szenen mag ich nicht, und aufzufallen ist mir äußerst unangenehm. Wo genau wollen Sie denn hin? Auf dem Weg werden wir uns aneinander wärmen, legte der Mann fest. Fünfzig war er vielleicht, womöglich auch älter. Mein Vater hätte er sein können. Ja, das stimmt: Er hätte mein Vater sein können. Er drückte mich an sich, während wir auf meinem Weg weiterliefen. So eng aneinandergepreßt, war es schwierig vorwärtszukommen. Der Wald verdüsterte sich zusehends, um diese Jahreszeit ist die Nacht länger als der Tag. Die Luft war frisch und kalt, ich konnte die Kälte prickelnd auf der Haut spüren.

Der Hund wühlte im vermoderten Laub am Wegrand und scheuchte hin und wieder ein kleines Tier auf, das raschelnd davonlief. Wie gut, daß ich Sie gefunden habe, sagte der Mann. Wer weiß, was Ihnen sonst passiert wäre. Dabei tätschelte er meine Hüfte. Und auch meinen Bauch. Mit tastenden

Fingerspitzen. Durch die dicke Jacke nahm ich es kaum wahr, aber doch, er streichelte mich. Ich mußte an ein anderes Erlebnis denken, an das Hotelzimmer. Als Jugendliche hatte ich mit meinen Eltern Urlaub in Spanien gemacht, in einem großartigen Hotel hatten wir gewohnt. Mit einer Gruppe Jungen, die ich im Foyer kennengelernt hatte, wollte ich ein Video sehen. Wir trafen uns in ihrem Zimmer. Daß zwei von ihnen begonnen hatten, mich zu befühlen, hatte ich geübt ausgeblendet, bis der Blick eines der anderen mich traf. Er hatte bisher kaum etwas gesagt und sah mich nun verwundert, fast erschrocken an. Mit welcher Ausrede ich dann aufgesprungen und gegangen bin, weiß ich nicht mehr. Am nächsten Tag war es mir sehr unangenehm, die Jungen beim Frühstück zu treffen. Wir ignorierten uns gegenseitig. Kein Theater machen. Unter keinen Umständen auffallen. Ist doch nicht so schlimm. Stell dich nicht so an! Das denkst du dir doch aus. So schlimm kann es gar nicht sein. Meine Mutter dachte, so könne sie mich trösten, wenn ich mir weh getan hatte oder traurig war. Nimm dich nicht so wichtig! Und sie hatte recht: Meistens lohnt es sich tatsächlich nicht, sich aufzuregen. Schlimme Dinge gehen von selbst vorbei. Mehr als man glaubt, kann man aushalten.

Ich weiß nicht, warum ich an die Jungen denken mußte. Anders als in dem Hotelzimmer damals hatte ich jetzt nicht das Gefühl, davonlaufen zu müssen. Wärme mich doch etwas, bat er mich. Er zog mich fester an sich. Ungemütlich war seine Umklammerung. Und sehr unpraktisch beim Gehen. Allein wäre ich viel schneller vorwärtsgekommen. Wenn ich auf dem vereisten Boden ausrutschte, hätte ich mich dann mit beiden Armen abfedern können. So strauchelte ich immer wieder, worauf er mich erneut fester packte. Siehst du, wie gut, daß ich bei dir bin, sagte er. Wie heißt denn der Hund, fragte ich. Berta, sagte er. Es ist eine Hündin, ein Labradormischling. Das sind ideale Familienhunde. Meine Kinder lieben Berta. Seine Finger tasteten sich vorsichtig unter das Bündchen meiner Jacke. Ich folgte ihm gedanklich dorthin, ich sah voraus, wo seine Hände landen würden, und konnte nichts dagegen tun. Es tat nicht weh, es gab keinen Grund sich aufzuregen. Und doch wünschte ich mich weit weg. Ich haßte mich selbst dafür, daß ich mich so unklar verhielt. Ob er dachte, ich genieße seine Berührung? Ich fand sie schrecklich. Rauhe Haut auf seinen Fingerkuppen, abgekaute Fingernägel, glaube ich. Er tastete auf meinem Bauch herum, während wir eng aneinander gepreßt weiter stolperten. Wo wohnen Sie denn nun? Ich habe Sie noch nie gesehen, sagte er etwas atemlos. Ich antwortete nicht. Ich konnte ihn nicht mehr deutlich hören. In solchen Situationen bewege ich mich wie in einem dichten Nebel, der mich von der Umwelt vollkommen abschottet. Was dahinter geschieht, kann ich weder klar sehen noch hören. Und fühlen? Fühlen kann ich es natürlich, doch mein Gefühl beschränkt sich auf rein körperliche Empfindungen. Dieser Nebel ist praktisch. Unangenehme Situationen sind so viel leichter auszuhalten. Der Weg, den wir eingeschlagen hatten, mündete in einer Wohnsiedlung. In dieser Gegend kannte ich mich aus. Hinter der ersten Häuserreihe, die direkt am Wald lag, befand sich eine Bushaltestelle. Daß dort Menschen warteten, machte es mir leicht, mich von dem Mann zu lösen, ohne eine Ausrede finden zu müssen. Tschüß, sagte ich und ging zur Haltestelle, obwohl ich keinen Bus nehmen mußte. Von hier konnte ich eigentlich nach Hause laufen. Du bist ein liebes Mädchen, sagte er, und sein Hund wedelte mit dem Schwanz. Vielleicht sehen wir uns mal wieder. Gern hätte ich jetzt gesagt: Nein, das will ich nicht. Laß mich in Ruhe! Doch dann denke ich wieder, so schlimm war es doch gar nicht. Und wer will mich schon anfassen? Wären diese Erlebnisse nicht, hätte ich vielleicht gar keinen Körperkontakt. Auch deshalb vielleicht ist mir jetzt kalt. Es ist schade, daß ich mich nicht an einem anderen Menschen wärmen kann. Manche Menschen können das. Mir ist das zu nah. Mein Vater hat immer gesagt: Du bist mein Kind, du mußt lieb zu mir sein. Ich bin auch lieb zu dir. Das Liebsein löst bei mir den Nebel aus, den Nebel, der alles in weiche warme Watte packt. Manchmal macht der Nebel mir auch Angst. Ich möchte mehr sehen, ich möchte mehr fühlen. Endstation ist hier? Ich muß aussteigen. Wo ich hier bin? Weiß ich nicht. Der Bus fährt nicht weiter. Ich fahre wieder zurück. Ich wohne dort, wo ich eingestiegen bin. Gut, daß ich der einzige Fahrgast bin. Der Fahrer hört nicht zu.

Barbara Höller
Spiegelmenschen

Eva Menasse
Heute bin ich
geladen

Zur Eröffnung der »BuchWien 2009« dürfe ich reden, worüber ich wolle, hat man mir von seiten der Veranstalter und Organisatoren versichert. Das klang zuerst überaus verführerisch, vor vielen Monaten, von Berlin aus, wo ich seit bald zehn Jahren lebe. Ich versuchte mir das damals vorzustellen, wie ich dann da vor Ihnen stehe, in Wien, wo ich gar nicht mehr oft bin, vor mir die Kulturministerin, der Kulturstadtrat und all die anderen Ehrengäste. Und da wurde mir schnell klar, daß diese großzügige und ehrenvolle Einladung, zu kommen und zu sprechen, worüber ich nur wolle, in Wahrheit überhaupt keine Wahlmöglichkeiten offen ließ, ja, nicht den geringsten kleinen Ausweg. Vom Moment an, da diese Einladung ausgesprochen wurde, und ich sie annahm, war ich gefangen in einer Falle, die nun mein Thema sein soll. Die Falle ist dieses Land, und mein Thema muß Österreich sein, meine Heimat, meine Herkunft, mein Verhängnis; Österreich, das Land, in dem ich ohne jeden Zweifel wurde, was ich heute bin.

Mit aller gebotenen Vorsicht, was Verallgemeinerungen betrifft – denn wir Österreicher verallgemeinern gern und am liebsten den Rest der Welt, wenn wir nämlich glauben, daß es nirgendwo auf der Welt so schön schrecklich sei wie bei uns –, darf man, glaube ich, doch sagen, daß man als Österreicher auf eine komplizierte Weise besonders schwer an seinem Land trägt.

Ich weiß nicht, ob ein Schweizer oder ein Neuseeländer, ein Niederländer oder ein Kanadier dauernd diese heftige Spannung in sich spürt, dauernd seine Staatszugehörigkeit bedenkt, dauernd mit sich selbst und seinem Land im Clinch liegt, zerrissen zwischen empörter Abscheu und kindlich-stürmischer, verzeihender und beschützender Liebe; ich wünsche es ihm, dem Schweizer, dem Neuseeländer, dem Niederländer und dem Kanadier jedenfalls nicht. Denn so geht es doch vielen Österreichern, und ein Großteil unserer Kunst, ein Großteil unserer Literatur ist davon geprägt, von diesem österreichischen Seelenspalt, aus dem es dauernd wütend pfeift. Und so geht es auch mir, da draußen »unter den Piefkes«. Manchmal fühle ich das Österreichische in mir ticken, als hätte ich eine Unruhe eingebaut, die andere nicht haben. Oft genug hasse ich – und mit Grund! – gewisse österreichische Zustände, und ich schäme mich. Doch schon kurz darauf habe ich wieder Anfälle von wildem Patriotismus, der meine nicht-österreichischen Freunde befremdet – was mich nur wieder darin bestätigt, daß man als Österreicher eben nicht verstanden wird. Doch, danke der Nachfrage, in Deutschland lebt es sich sehr angenehm. Diesen Satz kann man gleich mit einem bitterbösen österreichischen Aperçu ergänzen, im Gegensatz nämlich zu Österreich, »wo sie einen erst leben lassen, wenn man tot ist«. Ja, im Bitterbösen sind wir gut, das könnte übrigens ein Grund sein, Österreich zu lieben, im Gegensatz zum Zuckerlsüßen, als das wir uns so gern präsentieren, und das so furchtbar verlogen ist.

Deutschland jedenfalls erscheint mir viel weniger neurotisch, offener, die Kommunikation ist transparenter, und die Menschen sind freier, selbstbewußter und daher nur selten so erstickend verhabert oder, mit dem genialen Wort von Thomas Pluch, »verfreundet« wie halb Wien. Aber gleichzeitig würde eben niemand ein Wort wie »verfreundet« erschaffen, und zu lachen gibt es auch nicht viel. Das bedeutet nicht, daß die Deutschen keinen Humor haben. Das hätten wir Österreicher nur gern. Aber inzwischen bin ich fast überzeugt, daß Humor wie eine Muttersprache ist, die man später nie mehr richtig lernen kann, in die man hineingeboren sein muß, Humor als fast hermetische, frühkindliche Prägung.

Das Reden, insbesondere das Schimpfen über Österreich, hat natürlich Tradition. Es ist etwas Urösterreichisches, offenbar das geeignete Ventil für den inneren Überdruck. Wir sind schon so daran gewöhnt, daß wir etwas Leiseres als Schimpfen gar nicht mehr hören. Aber dieser Verlockung wenigstens möchte ich heute abend nicht nachgeben, wo Sie ja gezwungen sind, mir zuzuhören, auch wenn ich nicht schimpfe – oder nur ein bißchen.

Nein, ich werde nicht über das neue Fremdenrecht, die Studentenproteste oder den Dritten Nationalratspräsidenten reden, auch nicht über die dolchspitzen Alltagsrassismen, die mir, wenn ich im Land bin, auf Schritt und Tritt begegnen und mich, da ich nicht mehr daran gewöhnt bin, jedes Mal noch tiefer erschrecken. Ausnahmsweise möchte ich die Tagesaktualitäten sein lassen, in dem durchaus pessimistischen Bewußtsein, daß ich nichts versäume. Bei der nächsten Gelegenheit wird genauso viel wie immer da sein, um sich daran abzuarbeiten. Nur zum Vergleich: Es gab einmal auch das »Reden über Deutschland« als institutionalisierte Redeübung, es gab Dutzende Sonntagsreden berühmter Männer, die der deutschen Identität hinterhergrübelten, doch mit dem Mauerfall sind sie schlagartig verschwunden, die Männer, die Sonntagsreden und das Genre selbst. Es hat sich erledigt. Deutschland bedarf dieser Selbstvergewisserung nicht mehr, die darüber grübelt: Wer sind wir, warum sind wir so geworden, was wird noch aus uns werden. Die Teilungswunde hat sich geschlossen, das Land ist geeint. Trotz aller Spannungen und Probleme, trotz aller Verteilungskämpfe zwischen Ost und West – es gibt zumindest kein Identitätsproblem. Das ist doch eigentlich sehr merkwürdig. Als hätten wir Österreicher auch eine Wunde, aber eben eine, die sich nicht nur nicht schließen, sondern auch kaum benennen läßt. Natürlich, man könnte jetzt zum neunundneunzigsten Mal mit der mangelnden Aufarbeitung der Nazizeit kommen, und auch beim hundersten Mal würde das nicht falsch. Man könnte auch bemerken, daß der österreichische Dollfuß-Faschismus mit seinen paramilitärischen Verbänden und seinen Anhaltelagern, daß diese unbestreitbare und schändliche, diese hausgemachte Diktatur noch viel weniger aufgearbeitet ist. Man könnte, mit einiger Berechtigung, noch weiter zurückdenken: Denn man muß nur wieder einmal Joseph Roth, Stefan Zweig oder Heimito von Doderer lesen, um zu begreifen, wie groß das Trauma war, als das Kaiserreich zusammenbrach, dieser »tausendjährige Garant für Dauer und Stabilität«. Die Habsburger-Monarchie war politisch, historisch und geographisch ein so gewaltiges Ding, daß ihr Verschwinden bis zur letzten Minute unvorstellbar schien – man darf daher einen Phantomschmerz für möglich halten, der in irgendeiner unergründlichen homöopathischen Weise bis heute wirkt.

Einfache Erklärungen sind natürlich nicht zu haben, denn das meiste im Leben, nicht nur in Österreich, ist kompliziert und verwickelt. Aber ich möchte zumindest versuchen, das spezifisch Österreichische zu beschreiben, von dem ich ja weiß, daß es auch in mir steckt, und von dem sich doch wenigstens ein Teil annehmen, ja, vielleicht sogar gern haben lassen muß als vaterländisches, muttersprachliches Erbe.

Was also ist es, diese tickende Unruhe, dieses Hochenergetische, Brennende, das so schöpferisch wie zerstörerisch, so produktiv wie katastrophal sein kann? Seit mich ein deutscher Literaturkritiker voller Bewunderung mit seinem Eindruck konfrontiert hat, daß dieses Land Österreich offenbar ein »Kraftwerk für Literatur« sei, hantiere ich probeweise mit physikalischen Begriffen. Physik war zwar nicht mein Lieblingsfach, ganz im Gegenteil, trotzdem helfen einem schon die Grundbegriffe: Zu Entladungen kommt es, wenn große Unterschiede herrschen. Wo es keine Unterschiede gibt, ist es ruhig. Gewitter entstehen, wenn sehr heiße auf sehr kalte Luft trifft: das weiß jedes Kind. Und jeder Stromkreis funktioniert wie Österreich: Zwischen Plus und Minus, zwischen Pro und Contra geht es ständig heiß hin und her. Wer zu nah kommt, kriegt Schläge, wer zu viele Schläge kriegt, muß um sein Leben fürchten. Es geht also um die Amplitude, um den Unterschied zwischen Minimum und Maximum, um Gipfelsturm und Fallhöhe. Dabei handelt es sich aber beileibe nicht um äußerliche Gegensätze wie anderswo, also etwa um extreme Unterschiede zwischen Arm und Reich oder Jung und Alt. Wir haben auch in keinem extremen Ausmaß Zuwanderung zu verkraften, ebensowenig wie wir unter einer extremen Arbeitslosenzahl leiden. Das einzige, was wir haben, sind ein paar Extremisten, die das behaupten. Nein, in diesen Belangen geht es uns im Vergleich nach wie vor glänzend.

Nach außen hin sind wir ein ruhiges, glückliches kleines Land, eine verläßliche europäische Demokratie trotz mancher lokaltypischer Eigenheiten. Die spannungsvollen Gegensätze aber, die haben wir innen eingebaut. Denn wenn wir unter uns sind, sind wir dauernd gereizt bis aufs Blut. Ich habe einmal versucht, die Frontstellung so zu beschreiben: Auf der einen Seite die aggressiv braungebrannten Vorzeigepatrioten in Dirndl oder Lederhosen, auf Skiern oder auf

Lipizzanern, die wahlweise jodeln, Sachertorten backen oder am Opernball Walzer tanzen, und auf der anderen Seite die professionellen Nestbeschmutzer, die durch den Katholizismus, den Provinzialismus oder die unaufgearbeitete Nazi-Vergangenheit so geschädigt worden sind, daß sie nur durch anhaltendes, alarmistisches Schimpfen überhaupt Luft kriegen. Karl-Markus Gauß hat in einem seiner brillanten Essays zur Beschreibung des Österreichischen und seiner inneren Widersprüche bei der Mentalität angesetzt: Er schlug einen wirklich bestechenden Bogen von Karl Moik zu Hermes Phettberg. Das sind, nach Gauß, zwei weitere mögliche Außenpflöcke der österreichischen Dialektik: vom Spießer zum Exzentriker, von der Barbarei zur Revolte. Und wieder zurück, und immer hin und her, siehe oben, ein Stromstoß, ein Kraftwerk. Aber die Sache wird dadurch noch komplizierter, daß jeder einzelne Österreicher einen Teil dieser Zerrissenheit in sich selbst herumträgt. Das ist ein Erbe unserer vielfach gebrochenen Vergangenheit ebenso wie Ausdruck einer Art von Nationalcharakter.

Übergroße Harmoniebedürftigkeit wird uns nachgesagt. Das ist fester Bestandteil des Klischees. Aber warum strebt denn einer nach Harmonie? Weil er vom Streit genug hat. Das eine bedingt das andere. Umgekehrt haben sich Harmoniebedürfnis und Konfliktverbot über Jahrzehnte wie Mehltau so sehr über das Land gelegt, daß wir offenbar nicht anders können, als zündelnden Maulhelden hinterherzulaufen, weil man immer das will, was man nicht hat oder kann. Jedes österreichische Kind wird darauf gedrillt, daß es nicht vorlaut ist und daß es sich um Himmels willen nicht wichtig macht. Automatisch bewundert es dann die hemmungslosen Goschenaufreißer. Wie Robert Menasse einmal schrieb: Alles ist ein »Entweder und Oder«.

Das Schöne, Gute, vor allem das Witzige und Befruchtende, das ich an Österreich liebe und manchmal so sehr vermisse, ist offenbar ohne das Häßliche, Gemeine, das Brunzdumme und Unerträgliche einfach nicht zu haben. Beide Teile stecken uns, in unterschiedlichen Mischungsverhältnissen, einmal mehr Sommerg'spritzter, ein anderes Mal eher pur mit Eis.

Unsere Amplitude, unser energetisches Potential bleibt jedenfalls immer gleich groß, aufgerissen wie ein Drachenmaul, oder von mir aus das Maul des Lindwurms. Rein physikalisch ist das bedeutsam. Denn Spannungen wollen sich entladen, große Gegensätze wollen sich angleichen, in der Natur strebt alles auf den Mittelwert zu. Nicht so in Österreich. Wir sind stabil in unserer Unruhe, so stabil wie ein kräftiger Sisyphos mit einem Januskopf vor einem Spiegel. Was tun wir da? Wir drehen dauernd ungläubig den Kopf hin und her – da muß einem ja schlecht werden. Manchmal hätte man es ja auch gern ein bißchen ruhiger, aber andererseits wird einem wenigstens nie fad. Und das ist uns ja auch immens wichtig, daß einem nicht fad wird.

In Österreich ist es wenigstens immer lustig, habe ich lange Zeit behauptet. In Wien lache ich in einer Woche so viel wie in Deutschland in einem halben Jahr nicht, war einer meiner Standardsätze. Wenn wir aber unseren physikalischen Ansatz ernst nehmen, dann verweist ein Phänomen immer auf sein Gegenteil. Materie und Antimaterie, Plus und Minus. Und deshalb verweisen die Stärken insgeheim immer direkt auf die schwersten Charakterfehler. Das typisch österreichische Witzeln und Kalauern, diese ganze kreative österreichische Sprachverliebt- und Sprachbesessenheit, die die Deutschen meistens mit offenem Mund staunen läßt, bezieht seine Energie aus der Respektlosigkeit. Guter Humor ist per definitionem böse, guter Humor ist schwarz, er tastet sich an die Grenzen heran und überschreitet sie gelegentlich spielerisch. Und ich fürchte, daß genau deswegen Österreich gleichzeitig jenes Land ist, in dem dauernd jemand mit einem degoutanten Rülpser, mit dem im Wortsinn Unsäglichen auffällt.

Halten wir also fest, daß die österreichische Seele zwischen verschiedenen Extremen aufgespannt ist, schmerzhaft wie auf einem mittelalterlichen Foltergerät. Überall ist diese Spannung angedeutet, bis in die Buchtitel und die berühmten Zitate, von Hilde Spiels »Dämonie der Gemütlichkeit« bis zu Rudolf Burgers »zähnefletschender Herzlichkeit«.

Und deshalb ringen wir dauernd. Deshalb nehmen uns andere als unentschlossen, umständlich und entscheidungsschwach wahr, deshalb sind wir die Meister des Mehrdeutigen, des Raunenden, auch des Hinterfotzigen. Deshalb hört man bei uns so oft den klassischen Satz: »Ich will ja nichts sagen, aber ...«. Es gibt nun verschiedene Möglichkeiten, auf eine solche Spannungsfolter oder Folterspannung zu reagieren. Man kann sich, sobald man der Streckbank entkommen ist, erschrocken einrollen, sich auf den Boden legen, den Kopf zwischen den Knien, und sich totstellen. Sich ganz auf sich selbst konzentrieren und nicht mehr weiterdenken als bis zur eigenen Körpergrenze, und dabei immer nur den eigenen verbrauchten Atem einatmen. In einer solchen Haltung wird automatisch jeder zum Feind, der einem bloß nahekommt, denn man sieht ihn nicht, man spürt nur die Erschütterung seiner Schritte; das ist unheimlich, und man rechnet daher mit dem Schlimmsten. Und dabei ist es vielleicht gar kein Tschetschene oder ein Asylant oder ein linker Gutmensch, um in wahlloser Reihenfolge des Österreichers Feindbilder aufzuzählen. Die Kärntner führen zum Beispiel dieses Einrollen seit Jahrzehnten mit einem Trotz und einer Verbohrtheit vor, daß man sich schon längst keine Sorgen mehr um ihre Gesundheit machen muß, sondern nur noch darum, ob überhaupt noch jemals Genesung möglich ist. Nur zwei kurze Bemerkungen dazu: Ein paar hundert Kilometer nördlich von Kärnten, in Sachsen, wurde gerade zum zweiten Mal ein sorbischer Ministerpräsident, also Landeshauptmann, angelobt, der ganz selbstverständlich seine Eidformel mit dem sorbischen »S Božej pomocu – Mit Gottes Hilfe« beschloß. Ja, so etwas gibt es, ist es zu glauben, ein zweisprachiger Sachse als Landeshauptmann, aber unsere armen Kärntner fühlen sich schon von ein paar Ortstafeln schwerst bedroht.

Und als ich vor einiger Zeit einen Kommentar zu Kärnten, der Saualm und den Totenkult um ihren Lebensmenschen und Alkoraser veröffentlichte, bekam ich etliche Leserbriefe, in denen Kärntner mich dafür verfluchten, daß ich geschrieben hatte, ihre Leibspeise seien Knödel. Nein, und ich betone das hier sozusagen noch einmal vor der Welt, die Kärntner essen nicht hauptsächlich Knödel, sondern Nudeln, Nudeln, bitte, bei den Kärntnern, ich gelobe, das fürderhin nicht mehr zu verwechseln. Aber von der Saualm und Negerwitzen des neuen Landeshauptmanns stand in buchstäblich keinem dieser Briefe ein Wort. Nicht eines. Es ging nur um Nudeln. Das hatte Kärnten wirklich gekränkt.

Die andere Möglichkeit jedoch, einer ungesunden Streckung, Spreizung und Verdrehung entgegenzuwirken, ist, in Bewegung zu kommen und zu bleiben. Das ist viel besser als furchtsames Einrollen, das wird Ihnen jeder Arzt bestätigen. Das tun die österreichischen Künstler und Schriftsteller seit jeher, sie schwingen und ticken und zittern und toben. Sie lehnen sich auf und ecken an, und vielleicht ist es ja nur wieder mein blinder Patriotismus, der mir vorkommen läßt, sie seien darin extremer als die Künstler anderswo, jedenfalls solche in vergleichbar ruhigen Demokratien. Und hier ist sie ja, meine Heimat, zu der ich mich problemlos bekennen kann: Die Kunst, entstanden aus der Auflehnung. Kafka und Kraus, Joseph Roth und Doderer, von Polgar und Kuh bis Bernhard, Jandl und Schuh. Dazu die Filmemacher, die vielleicht für viele, die jünger sind als ich, inzwischen schon mehr Identifikation bedeuten als die Schriftsteller – Michael Haneke, Michael Glawogger, Ulrich Seidl, Barbara Albert, Wolfgang Murnberger.

Übrigens waren es ja gerade die Filmleute, die vom Jahr 2000 an, als sich die Österreicher typischerweise mit »Tschüssel« zu verabschieden begannen, am heftigsten politisch protestiert haben; offenbar befähigt ihr Beruf sie besser zur Teamarbeit als die Schreibenden. Das alles ist Österreich, das alles kommt von hier und wäre ohne den spezifischen Hintergrund, ohne den schwarzen, verzweifelten Humor und die ganzen waghalsigen Verrenkungen der österreichischen Seele so nicht entstanden.

Und so eine ideelle Heimat kann man praktischerweise mitnehmen, wohin immer man will. Auch das haben die Bücher und die Filme, die Bilder und die Kompositionen nämlich dem Dummen und Grauslichen voraus: Sie sind kosmopolitisch, langlebig und universiell. Dagegen so gelbe Taferl, auf denen zum Beispiel etwas steht wie »Daham statt Islam«, die kann man halt leider nur innerhalb Östereichs aufstellen. Und auch da werden sie nach einer Weile wieder weggeräumt wie Hundstrümmerl.

Und deshalb wollte ich es heute einmal andersherum versuchen. Einmal wenigstens möchte ich unösterreichisch eindeutig sein, indem ich mich geradezu dazu bekenne, Österreicherin zu sein und zu bleiben, nolens volens und mit allen Unannehmlichkeiten, die das bedeutet. Ich wollte herausfinden, was es eigentlich ist, zu dem ich mich bekennen kann, und habe immerhin ein pulsierendes Energiefeld gefunden, mit Ausschlägen in alle Richtungen, das immer wieder neu geladen wird, das sich und mich immer wieder nachlädt. »Heute bin ich wirklich geladen«, ist doch eine verständliche und allgemein gültige österreichische Aussage. Das ist jedenfalls mein Österreich, das ich mir nicht wegnehmen lasse. Und schon gar nicht von denen, die immer so blöd wie blindlings »Nestbeschmutzer« schreien, sobald man etwas Kritisches über dieses Land sagt. Und die einfach zu dumm sind, um zu begreifen, daß nur einer kritisiert, der sich Veränderung wünscht. Daß nur einer verändern will, dem etwas daran liegt. Noch kürzer gesagt: Wer kritisiert, liebt. Auch wenn dadurch nicht jede Kritik automatisch berechtigt wird, verweist sie doch auf ein Bedürfnis, auf ein Anliegen, auf das Gegenteil von Wurschtigkeit.

Mein Lebensmittelpunkt ist seit bald zehn Jahren Berlin. Ich zahle meine Steuern und meine Krankenversicherung in Deutschland, und die Pension, die ich nicht bekommen werde, wird eine deutsche sein. Mein Sohn wächst als Deutscher auf und redet, zum Unglück seiner Großeltern, inzwischen auch wie einer. Mit soviel lebenspraktischer Verankerung stört es mich manchmal durchaus, daß ich in Deutschland nicht wählen kann. Aber deshalb die Staatsbürgerschaft wechseln? Natürlich habe ich darüber nachgedacht, aber immer eher kokett, als Gedankenspiel, ich habe es bisher nicht wirklich in Erwägung gezogen. Und selbst wenn ich diesen letzten Schritt machen würde: Könnte ich deshalb aufhören, Österreicherin zu sein? Joseph Roth schreibt: »Österreich ist kein Staat, keine Heimat, keine Nation – es ist eine Religion.« Von einer Religion kann man sich abmelden, aber endgültig austreten kann man auf eine metaphysische Weise eben nicht.

In einer allerletzten Konsequenz geht mich Deutschland, wie jedes andere Land, das nicht Österreich ist, nichts an. Man könnte dort eines Tages so zufällig wieder weggehen, wie man hingekommen ist. Man könnte in einem dritten Land wieder neu beginnen. Und auch in einem vierten.

Mit Österreich ist das anders. Es wird mich immer etwas angehen, auch wenn dieses Etwas mit den Jahren vielleicht kleiner und hoffentlich weniger aufgeregt wird. Ich trage es immer mit mir herum, ich kann es nicht verleugnen oder jedenfalls nicht lange, und ganz sicher kann ich es nicht loswerden. Manchmal verfolgt es mich geradezu, dieses Österreich und seine verzehrende

Energie. Gerade in Deutschland wird man ja oft gebraucht, um österreichische Unverständlichkeiten zu erklären, man versucht sich dann als eine Art Übersetzer, als Dolmetscher für Gefühle und Verhaltensweisen, die den Deutschen unbegreiflich sind.

Aber das, was man nicht loswird, was einen nicht losläßt und sogar hartnäckig verfolgt, das nennt man wohl, aufseufzend, Identität. Und daß Identität nichts Rundes, Glattes und leicht Verdauliches ist, brauche ich Ihnen hier in Wien ja wirklich nicht zu sagen. Da muß ich nur Franz Schuh zitieren, der einmal ungefähr Folgendes gesagt hat: »Wer von gestörter Identität spricht, geht offenbar davon aus, daß es auch eine ungestörte gibt.«
Nein, es gibt keine ungestörte Identität. Meine österreichische Identität ist jedenfalls überaus gestört. Aber sie ist ganz zweifellos eine Identität. Und die besteht aus Pech und Schwefel, aus Teer und Federn und einem zwar schwankenden, aber notwendig vorhandenen Anteil Liebe, über den man sich in besonderen Momenten auch einmal Rechenschaft ablegen darf.

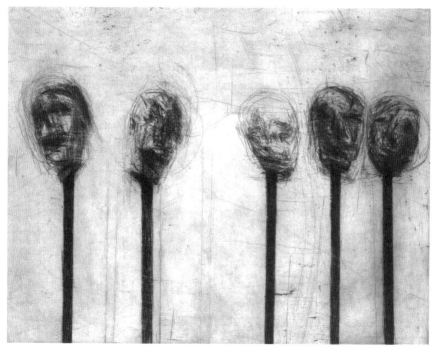

Claudia Berg
Pfahlköpfe

Dorothea Jecht

Was für ein bitteres Himmelswesen
fischt da nach der Erfüllung
der Wut – ich kenne dich gut,
du sture Figur,
du Hausteufelchen,
diese Bestie Seele,
so ist die Kehle
des Menschen: hysterisch
und zwanghaft zugleich,
ein Zauberreich
zu vieler Gewalten,
wie deine Engelsgestalten
von Feuer
innig ungeheuer
verwachsen:

linst da nicht hinter dem Tanz
Monsieur Freud hervor?
und unser Ohr
wieder bedroht von der Nachtigall,
ich hör sie die ganze
oder die halbe Nacht,
die Schlacht
ums DaDaDasein,
jetzt im Anschein
des Schicklichen –
da: dein Engel, Max,
häuslich perfid
schizoid.

Hans D. Boeters
Wieso plötzlich nicht mehr von dieser Welt?

Ich wollte Jurist werden. Rechtskundig. Es ist naheliegend, daß die von meiner Mutter wachgehaltene Erinnerung an meinen Vater, auch alles, was ich während der Schulzeit von einer ihrer Freundinnen, einer Anwaltskollegin meines Vaters, erfuhr, meinen Wunsch gefördert oder gar erst herausgebildet hatte. Wie soll man etwas vergessen, das man auf Zehenspitzen erlauschte? Bei Besuchen der Freundin in unserer Wohnung? Der Schilderung einer frisch entlassenen Totschlägerin? Ich hörte zu. Über den Warmluftschacht des Kohleofens. Wenn ich mich dazu noch, auf meinem Schemel stehend, streckte, meinte ich fast, in fackelnder Luft zu verbrennen. Die Freundin hatte sich von der Täterin in ihr Siedlungshaus einladen lassen. Nun trank sie Tee mit ihr. Ließ sich vor Sammelrahmen führen, die stolze und kummervolle Geschichten ihrer Familie bebilderten, Berichte von Menschen, die – in der Friedhofssprache – unvergessen bleiben. Zuletzt standen sie im Treppenhaus. Die Täterin erhöht auf einer der Stufen zum Obergeschoß. »Ich konnte nicht anders«, gestand die Freundin meiner Mutter, »als auch hier Teppich, Wand, ein stockfleckiges Bild, das dort hing, auf Spuren hin abzusuchen. Hörte nicht gleich auf ein ermahnendes »Na!«, so daß ich mich in meine Kurzatmigkeit hinein bedrängen lassen mußte: »Na! Hier! Das Bild! Das isser! Na, mein Verblichener!« Und als ich fragend zu meiner Klientin aufsah, ergänzte sie: »Sie liegen ganz richtig! An dieser Stelle habe ich meinen Mann mit der Axt erschlagen!«
Noch vor dem Abitur bewarb ich mich um einen Studienplatz an der Humboldt-Universität in Berlin und wurde abgelehnt. Wahrhaftig! Mich erboste die

druckerschwarze Leichtfertigkeit einer kommentarlosen Ablehnung umso mehr, als ich das, was ich dem einzigen real existierenden sozialistischen deutschen Staat letztlich von mir hätte preisgeben können, ernster nahm als dessen mir vorenthaltene Gründe. War ich mir denn nicht einmal mehr sicher, ob ich wirklich Jura hatte studieren wollen? Ob ich es jetzt noch wollte? Dabei hatte ich ein Indiz, daß Wunsch und Vorsatz bis zur Ablehnung außer Frage standen, wußte ich doch nur zu gut, daß bereits im Jahr zuvor viele Bewerbungen aus unserer Schule abgelehnt worden waren. Dennoch hatte ich mich beworben! Weil ich dachte, weil ich nicht zweifelte, jung, wie ich war, überzeugen zu können. Nur – wen –?

So beging ich denn eine Straftat. Ich ging weg. Und nicht ein einziges Mal in achtundzwanzig Jahren dachte ich daran, dorthin zurückzukehren, wohin ich mich jetzt nach gut einem halben Menschenleben, durchgeschüttelt auf einem Gleiskörper in Richtung Berlin, unaufhaltsam auf den Weg mache. Ich hatte den Boden unter den Füßen, schwer von Braunkohlenasche, ich hatte ihn mir für immer verloren gegeben.

Es war meine Nachbarin, die mich als erste, die mich in meiner Dumpfheit erstmals dazu brachte, mich zu bekennen, auch wenn mir das, was ich spontan zur Antwort gab, mir selbst verrätselt und wie unglaubwürdig schien. Ich hörte sie schon im Treppenhaus lärmen. Sie ließ sich wie immer, wenn sie beeindrucken wollte, schwer gegen den Türrahmen fallen, um mich abrupt anzuherrschen: »Du hast das gesehen?« »Was?« – »Du glaubst es nicht, sie fällt! Los, komm rüber! Schau dir das an! Auf allen Kanälen: Die Mauer fällt! Los! Fahr mit! Das muß man gesehen haben!« – »Ach!« – Mehr brachte ich nicht heraus. Und während ich dann mit ihr das Getümmel an der Mauer und die sich überstürzenden Kommentare verfolgte, meine Füße zwischen den Füßen der Nachbarin auf dem Kanapeetisch, meinte ich schließlich erleichtert: »Ich fliege ja jetzt erst mal in die USA und schau mir den Sperrzaun vor Mexiko an.« »Bist du verrückt? Du bist doch von drüben!« Was? Wieso plötzlich? Wieso von drüben? Wieso plötzlich nicht mehr von dieser Welt?

Ich nahm alle Kreislaufschwächen eines Langstreckenfluges vorweg. Setzte mir meine Schlafbrille auf, stellte die Heizung an und legte mich ins Bett. Unmögliches muß man sich nicht erst verbieten! Aber mein Umgang mit dem nun unerwartet Möglichen, vor dem ich zurückwich, gegen das ich mich unvorbereitet im Dämmer der Brille heftig zu wehren hatte, machte mich krank. Es dauerte geraume Zeit, bis ich mich verdächtigte, mit meiner bald nach der Flucht getroffenen Entscheidung, Journalist zu werden, eine chronische Krankheit ausgelöst zu haben. Indem ich es zu meinem Wesenszug gemacht hatte, andere zu belauschen, reden zu lassen, auszuhorchen, vermied ich es, selbst bedrängt zu werden, gar mich offenbaren zu müssen. Unvergessen meine Heftigkeit bei jedem mich nötigenden Warum! »Warum sind Sie denn eigentlich …? Ich an ihrer Stelle wäre sicherlich …!« »Ach, Sie sicherlich? Also, Sie stünden dann gar nicht leibhaftig hier vor mir?« Letztlich vermied ich nicht nur, anderen etwas erklären zu müssen, das mir selbst nicht ohne weiteres erklärlich war, besser noch, ich versagte, ich untersagte mir, von mir selbst mehr in Erfahrung zu bringen. Schlimmer noch: Beugte ich vor? Hatte ich, unbewußt, nicht ausschließen können, daß mir dieselbe Frage nicht immer wieder allein von denen gestellt werden würde, denen ich zugelaufen war, sondern, übler, und nun jetzt und weitaus intimer von denen, die ich verlassen hatte?

Ich denke zurück, an die allererste Zeit nach meiner Flucht: Warum –, warum war ich nicht hingegangen an irgendeine juristische Fakultät im Westen und hatte mich doch noch eingeschrieben?

Weder vor noch nach meiner Flucht habe ich etwas erlebt, das mir so schlagend und nachdrücklich vor Augen geführt hätte, wie verschieden die Menschen sind: Mein Banknachbar der letzten Jahre und ich, wir waren illegal, wir waren schwarz nach Westberlin gefahren. Wir hatten die akademische Berufsberatung aufgesucht und tumultuarischen Gerichtsverhandlungen beigewohnt. Als ein Anwalt uns vorgab, anfangs habe er wahrhaftig gedacht, der Rechtspflege zu dienen, doch mit den Jahren könne er auch sagen, Unrecht sei quasi auch Recht, nur das des Unterliegenden; als ich von einem Richter erfuhr, er könne im Verhör auch jeden Zeugen in die Unglaubwürdigkeit treiben, verfaßte ich einen Report, meinem ersten Aufsehen erregenden Essay in einem der großen Tageblätter, in der FAZ. Ich entschied mich für Journalismus. Folgte nicht meiner über Jahre gehegten Idee, Jurist zu werden. Mein Banknachbar ging zurück in den Osten. Ich blieb. [Hatten wir uns beim Abschied umarmt?] Ich – Journalist! Und heute wünsche ich mir etwas anderes.

Der Mensch am Nachbartisch, in meinem Rücken, hier, im Speisewagen, spätabends, nachts durch ein Land, das seine verlorenen Konturen noch immer scharf in aller Köpfe zeichnet, ein Land, aus dem ich einmal floh, dieser verrauchte Mensch liest DIE WELT. Er liest Sekundärliteratur. Literatur aus zweiter Hand. Er liest eine Rezension: Orhan Pamuk, Schnee, Hanser-Verlag. Ich denke, WELT-verdorben, wie er aus seiner Lektüre hervorgehen mag, er wird Schnee, er wird das rezensierte Buch selbst nie lesen. Ebenso niemals den Roman, den ich als Vorabdruck in Händen halte: Nachtzug nach Lissabon [oder der traumgleiche, pathetische Wunsch, noch einmal eine andere Richtung einschlagen zu können], Mercier, Pascal Mercier, noch unveröffentlicht, doch gleichfalls wohl für den Hanser-Verlag gedacht. Dabei scheint dieser Mensch in meinem Nacken gar nicht einmal grundsätzlich uninteressiert zu sein an Literatur aus erster Hand, so wie er, über unser beider Schultern spähend, über mich herfällt. Zugestehen könnte ich ihm, daß ich den noch unveröffentlichten, noch unrezensierten Nachtzug, diesen wunderbaren Roman, nicht anders lesen würde, wie der WELT-läufige Schnee-Rezensent ihn später einmal – wenn überhaupt – wohl gelesen haben möchte, gesetzt, ich risse zuvor zwei Blatt heraus, ich risse sie kurz und klein. Will ich das? Oder will ich nicht etwas ganz anderes? Jene zwei unbequemen Blätter: gerettet in meinen Händen, die Seiten 71 bis 74. Das lädierte, geplünderte Manuskript hingegen bequem, nachlässig abgelegt, liegengelassen irgendwo hier auf dem Tisch für alle Mitreisenden? Dreihunderteinundneunzig Seiten Wohlbehagen, knapp vierhundert Seiten Verführung gegen vier Seiten Pathos und Traum? Wenn ich diese zwei Blatt mit einem stumpfen Messer des Zugrestaurants, besser mit einer Gabelzinke, heraustrennte, ich könnte den lädierten Vorabdruck genauso gut unauffällig draußen im Gang in den Papierkübel werfen, daß niemand von den Nachbartischen her noch aufdringlich mitzulesen oder gar mich anzusprechen suchte. 71 bis 74: zwei Blatt. Vier sonderliche, mühsame Seiten, die mir, mir jedenfalls vollauf genügen sollten! Wenn ich mir jene drängenden Fragen, mit denen sich ein anderer über die Dauer ihrer hundertzweiunddreißig Zeilen wie stellvertretend quält, wenn ich mir diese Fragen selbst verstohlen stellte? Schriftlich, vor meinem PC? Ich müßte den fremden Text, den Gedankengang eines anderen, nachzuvollziehen suchen. Soweit ich in Richtung und Schrittfolge mithalten könnte. Soweit sie mir [so wie ihm] angemessen wären. Insoweit wäre ich Doppelgänger! Mit dem fremden Text als Maskerade, Sprachmaske sozusagen, – Maske insofern, als sie geprägt wäre durch Züge, zu denen sich ein anderer bekannte, und die dann doch, insoweit, auch meine Züge wären. Ich schreibe ab! Halte Kurs! Wort um Wort: *bei einer derartigen Blässe des Schirms, daß mir bei dieser Arbeit hier niemand mehr hinterrücks mitläse, äußerstenfalls noch auf die Hände schaut, auf alle ruppigen Attacken gegen die Tastatur. Denn alles, was ich nur gleichmacherisch, nur mich verleugnend stehen lassen könnte, ist widersetzlich zu durchbrechen:* Vielleicht scheine ich endlich zu ahnen, was mich jetzt nach der Wende stets von neuem anhält, nochmals in Gedanken im Westen Berlins wie zum ersten Mal durch das Portal der Freien Universität zu gehen, um mich beraten zu lassen, die Sektorengrenze seit kurzem hinter mir: *Ich möchte zurück zu jenen Minuten auf* den steinernen Stufen des Eingangsportals, *in denen die Vergangenheit von mir abgefallen war, ohne daß die Zukunft schon begonnen hätte. Es ist etwas Sonderbares um diesen Wunsch, er schmeckt nach Paradoxie … Denn derjenige, der sich das wünscht – er ist ja nicht etwa jener, der, von der Zukunft noch unberührt, an der Weggabelung steht. Vielmehr ist es der von der durchschrittenen, zur Vergangenheit gewordenen Zukunft Gezeichnete, der,* der sich das Wesen aller Juristerei in der FAZ parodierte, *der sich zurückwünscht, um das Unwiderrufliche zu widerrufen. ... Und ist es vorstellbar, daß der damalige Junge* der Versuchung, journalistisch tätig zu werden, *getrotzt und ... das journalistische Seminar nicht betreten hätte – so, wie ich mir das heute manchmal wünsche? ... Der Junge* mit der Ablehnung – *er hätte sich schon sehr von mir unterscheiden müssen, um in der Weise eine andere Richtung einzuschlagen, wie ich mir das heute wünsche. Dann aber, als ein anderer, wäre er auch nicht zu einem geworden, der sich später eine Rückkehr zu der früheren Weggabelung wünscht. Kann ich mir wünschen, er zu sein? Es kommt mir vor, als könnte ich zufrieden sein, er zu sein. Aber diese Zufriedenheit – es kann sie nur für mich geben, der ich nicht er bin, es kann sie nur geben als Erfüllung der Wünsche, die nicht die seinen sind. ... Und doch bin ich gewiß, daß ich bald wieder mit dem Wunsch aufwachen werde, zur* Freien Universität *zu fahren und damit einer Sehnsucht nachzugeben, deren Gegenstand es gar nicht geben kann, weil man ihn nicht einmal denken kann. Kann es etwas Verrückteres geben als dieses: von einem Wunsch in Bewegung gesetzt zu werden, der keinen denkbaren Gegenstand hat?*

Wirklich ...? Keinen ...? Der keinen –, wie –, wie denn! – Sollte ich dieses Wort, diese stutzen machende Versicherung, verbraucht, wie ich mich jetzt nach allen fremden Blicken hinterrücks über die Schulter fühle, unwidersprochen hinnehmen? In einem letzten hilflosen Aufbegehren? Besser reiß' dir die Larve herab! Keinen denkbaren Gegenstand! Der Junge mit der Ablehnung, »er hätte sich schon sehr von mir unterscheiden müssen, um in der Weise eine andere Richtung einzuschlagen, wie ich mir das heute wünsche«! Ich frage mich: Und wenn er sich nicht von mir unterschieden hätte? Sondern nur diejenigen von denjenigen, die mich berieten? Wenn mir der Rechtsanwalt mit seinem Un-Recht etwa von den Problemen berichtet hätte, Menschen zu verklagen, die sich als Nationalsozialisten vergingen und später darauf beriefen, seinerzeit gesetzestreu gehandelt zu haben? Wenn er mir ergänzt hätte, daß sich verwandte Rechtsfragen ergeben könnten, wenn man irgendwann Personen anklagen wollte, die für Strafaktionen bei Republikflucht verantwortlich waren? Hätte mich das nicht stutzen lassen? Hätte mich das nicht fasziniert? Der traumgleiche Wunsch, nochmals eine andere Richtung einzuschlagen: Ich werde ihn wahr machen! In Berlin! Ich werde mich bei der juristischen Fakultät bewerben! Ich werde mich einschreiben!
Und etwas ganz anderes noch schwebt mir vor: Mercier anzuschreiben, zu bedrängen, regelrecht zu nötigen, meinen Widerspruch in seinen Entwurf einmünden zu lassen!

Wenn Vollmond war, ging unser Kind in die Küche, nahm Servietten, Löffel, Gabeln, Messer, von jedem zwei, und deckte im Wohnzimmer auf, und zwar auf dem Pianino, an den Schmalseiten. Als wir dann von heute auf morgen allein waren, kam es einmal noch des Nachts aus seinem Zimmer, blieb in der Küchentür stehen und sagte: Keine Kästen sind mehr da, nur noch Spitzes. Seitdem ist es nicht mehr mondsüchtig.

Peter Tertinegg
Sieben Monde

Das ist nun bald sieben Monate her; und als ich heute früh in der Zeitung zwei Zeilen las – Wirklichkeit warst, Traum wirst du, Wunderbare, erneut im Brunnen meiner Knabenjahre –, gingen mir die Augen über, und ich war froh, daß alle Straßenbahninsassen in meiner Nähe auf einen Betrunkenen achteten, der hinter dem Fahrer wankend immer wieder beteuerte: Wo fahren wir eigentlich noch hin –

Von klein auf schüchterten mich Mädchen ein. Ich erinnere mich an eine Katastrophe während meiner Schulzeit, als aus irgendeinem Grund eines neben mich gesetzt wurde. An keinem Tag vergaß ich, meine Schultasche zwischen uns auf die Bank zu stellen. Ein Verwandter scherzte früher, auf mich müsse wohl eine vom Himmel herabfallen, aber lautlos, damit ich nicht vorgewarnt würde. Man fragt sich, wie so jemand eine Frau kennen lernt. Die Antwort ist: Im Grundsteuerbemessungsbüro.

Eines Tages stellte uns der Abteilungsleiter eine neue Kollegin vor. Sie bekam ihren Platz mir gegenüber. Es war der erste Dezember, nach sieben Uhr früh, und wir hätten kein künstliches Licht gebraucht. Meine Konversation, von allen schon immer gerühmt, schwang sich zu Glanzleistungen auf: Bitte, danke, und einmal, als sie mir einen Filzstift mit einem Danke zurückgab, wollte ich Bitte sagen, dachte Danke und sagte: Bitte danken –

Es war vor den Osterfeiertagen. Die anderen waren schon gegangen. Ich stand im Vorraum, rückte meinen Hut zurecht [ich bin klein] und wußte, daß ich sie um einen Tag länger nicht sehen würde. Ich hörte hinter mir eine Putzfrau aus dem Waschraum kommen, drehte mich um – und sagte Ja, bevor ich es noch dachte. Da lächelte sie.

Unser Kind ist wieder mondsüchtig. Es deckt nur für einen auf, in der Mitte des Pianinos, etwas rechts, wo man das Herz nicht vermutet, außer man sieht sich im Spiegel.

Mandana Kerschbaumer

Gefälschte Orte

Scham Im Kühlschrank lag die Extrawurst. Nahezu abgezählte Wurstblätter. Blitzlicht des Tages. Fortwährend verlor sich eine Kinderhand in der bläulichen Kälte der Innenseite des kühlenden Kastens. Heftig verschlungene Wurstblätter danach. Wie eine kleine Debatte des Hungers lag die rosige Extra im Gaumen. Wegen diesen immer wiederkehrenden 10 Dekagramm wurde regelmäßig angeschrieben beim Greißler, vier Stockwerke tiefer.

Scham in der Extrawurst, zwischen den Wurstblättern lag Scham, tief versteckt im fünften Blatt, in notdürftiger Mitte der 10 Dekagramm. Aber wieso sollte diese Betrachtung wichtig sein, wo genau dieser schämende Tanz sich verortete? Den Kinderkopf hatte er ohnehin beschäftigt. Der schämende Tanz vermasselte leichtes, entspanntes Kinderschauen in die vorgelagerte, immer als wesentlich besser gedachte Welt. Hungrig waren sie. Prothesen suchten ihre hungrigen Seelen, die wirklich und verfügbar waren.

Einst war die Extra so außerordentlich wichtig, sie bedeutete 10 Dekagramm Zuhause, rosiges Zuhause. Es könnte fortwähren famos darüber geplaudert werden. Es benötigt diese emsigen Betrachtungen für den Umgang mit umfassenden Umbauten des Inneren. Welche ästhetische Wichtigkeit hatte diese Extrawurst für das bißchen gerüttelte Kindheit? Sie war Innenkern-Migration und für draußen Schutzlächeln, eine gute, stillende Wendeltreppe zu Dachböden.Eines der Kinder wurde eine berufene Treppenleserin. Eine, die ihre Leseorte auf Treppen von diverser Gestalt einrichtet. Mit ihren Geschichten streut sie Salz in die Zentren der lauschenden Kindheiten von diversem Gewicht. Wenn auch die ganz Kleinen Stufen suchten, um der Treppenleserin nahe zu sein, beeinträchtigte unter Umständen die Treppenhöhe ihre kleinen Aufstiege in die Mansarde. Ganze verschleppte Kindheiten in Dachböden. In einer weißen Folie die Extra – mit der Kleinen im Dachboden: Sie verliert sich wohnlich im Hunger und verleiht den 10 Dekagramm kolossales Gewicht. Elegantes Kauen preßt unbestechlich in die Wurstmasse. Sie wird Menge und Ansammlung, sie wird ein geradezu aufmerksamer Text in dieser Zeit der unbedingten Versuche, Ungleichgewichte niederzuwerfen. Der Text macht Druck, rempelt in den Mundraum – wiederholt, wiederholt und wiederholt diesen Ort.

Es ist die Zeit, die dir souffliert zu begehren, dich um das Beste deines Lebens zu bemühen. Dich um die schönste Seele zu kümmern, die dich jeweils durchstöbert, liebenswürdig begeistert und anstiftet zu Berührendem. Gefälschte Orte betören allerdings immer wieder, vermitteln akzentfreie Sicherheit inmitten von Blendungen. Es sind Raubzüge der Scheinwerfer, unbemerkte Demütigungen der Angst. Sie soufflieren dir eine Fälschung nach der anderen. Die Prothesen schleppst du mit in deinem steilen Herz, das dir schon lange den aufrechten Gang anbot. Dieses Geräusch hörst du aber nicht.

Die rosige Extra steht im Gaumen still, sackt nicht ab, stürzt sich nirgends hinab. Die Treppenleserin unterbricht ihr Lesen. In der Mansarde wird es furchterregend. Die Kleine rutscht, getrieben von Ahnungen des steilen Herzens, über die ersten Stufen und stürzt ihre Bewegungen von Stufe zu Stufe, die prophetische Extra fällt dabei ins Stufenleere. Unterhalb der Treppe, unter den schweigenden Füßen der Treppenleserin, die bereits wieder liest, und die Kleine verliert sich in Tränen. Das mag sie nicht! Sie liegt über Stufen hinweg auf dem Bauch und flüstert die Extra – irgendwie nach Hause. Läßt ihre Stirn im Ellbogen versickern. Das mag sie nicht!

Die Scham lebt sich ungeniert. Die Treppenleserin bewegt mild ihre Hand zum Rücken der Kleinen, liest weiter – und läßt sie dort für einige Momente federleicht liegen. Als würde sie die Rückseite der Scham in Tröstung wiegen. In eine Erleichterung, Aufrichtung und Beruhigung. Die Extra muß nicht mehr heimgeholt werden. Sie ist verglüht. Denn die Kleine ist nun sie, die Treppenleserin.

Kunstseelen Wesentlich früher, in der kleinen Kindheit, speicherten die Kleinen den Begriff »Bastard« unter ihren aufstoßenden Zungen. »Sie sind Bastarde, aber ich habe sie trotzdem lieb«, sprach eine allzu nahe Verwandte über die ganz kleinen Kindheiten. In ihnen eingelagert, gehortet und gebastelt, ein bißchen Persien und ein bißchen Wien.

Hybride Figuren.

Ihre Seelen verfügten über treue Prothesen, zugeteilte Kunstseelen. Es war die Zeit, die uns inniglich versprach, daß es uns gelingen würde, groß zu werden, mit wenigsten einer diskutablen und brauchbaren, schützenden und umarmenden Identität. Alles Beklagenswerte sollte mit dieser geschickten Identität entrücken. Die Kinder hatten sie unter ihren Achseln versteckt und aus ihr tröpfelte Hoffnung, wiegte sie in den Schlaf – nur sie! Die Kinder beanspruchten diese Mutmaßungen dringender als jedes auch noch so bezaubernde Gute Nacht-Winken realer Erwachsener, die geplant in Erscheinung traten. Die kleinen »Bastarde« zuckten in den Schlaf, der sie sogartig in diesen förmlich weggetretenen Zustand saugte. Dort ENDLICH waren sie ALLES ANDERE, waren sie andere! Sie waren nicht die Seekranken in ihren Träumen, hatten keine Prothesen abgetragen.

NÄHER DEM EIGENEN erschufen sie sich, profunder, eingemachter und lächelnder IM SCHLAF. Näher ihrer entworfenen Liebe und ihren Euphorien. Beispiellos entfaltend war ihr Schlaf. Nur aus diesem tauchten sie unbeeinträchtigt außergewöhnlich, bezaubernd und gut auf.

Im Schlaf sind sie tobend desertiert aus dem Prinzip »Bastard«, aus der verbarrikadierten Seele.

Staub Wenn sie schreibt, die Treppenleserin, wirft sie Staubinszenierungen. Staubwurf, sentimentaler Verlauf. Hoch, seitlich, quer geworfen, ins Tal geworfen. Bezaubernde Bewegungen. Staub reflektiert, zieht sich zurück, kreiselt, winselt, kriecht und tobt. Lodert!

Staub millionenfacher Migrationen wirbelt verminte Seelen, vergoldet sie, vergißt sie, verleugnet und verliebt sie. Goldstaub der Migration, Staub auf Sie geworfen. Millionen haben gehustet, gewürgt, sind verschwunden.

Wir suchen sie heute noch. Lehnen in ihnen, sie fehlen in uns, wir drängen in ihnen, überholen Erinnerungen seitlich stürmisch. Blicke in gebrochene Rückspiegelungen, in der Weite deportiert.

Staub in den Träumen. Staub lacht unruhig, schüttelt die Texte, die Toten, die Liebenden, die heimlich Geliebten. Staub lamentiert unbewacht in flachen Höhen, seitlich ebenso. Staub, du Ding. Armes Ding, reiches Ding, Schichtenstaub, Kapitalsortenstaub.

Ungleicher Staub. Fragmentarische Trübung. Staub hat sich einstudiert, aus dem Koffer gelebt. Sein Repertoire sind Zeitzitate, fliehen in einem fort, getrieben von Lust und Wahn. Erschüttert und kreischend, schüttelt sich im Hemdkragen und in Gesichtszügen.

Staub zieht Lichtungen ein, bewandert und verschlingt den Raum.

Die Treppenleserin folgt bahnbrechend ihrem hemmungslosen Abschied, ausschweifend und maßlos ihre Ausreise aus gefälschten Orten, die sie in endlos erscheinende Zwecke verschleppte. Vormals intrigante Zeiten.

Die Treppenleserin schwebt in geretteter Unverfügbarkeit, distinguiert und geduldig, sich um die schönste Seele zu kümmern. Von Frohmut behütet.

Thomas Josef Wehlim Notaufnahme
Mein Bein
verändert sich.
Was haben Sie
heute gefrühstückt?

Ich rolle ans
Licht. Verhangene
Münder.
Als wäre all das
schon lange
geschehen.

Man kann etwas ansehen.

Die Wimpern zwei Mal nachschlagen.

Die Haare schlängeln.

Flammen im Ohr haben.

Brillant verstecken im Auffallen.

> Eine Frau, oranges Haar, roter Mantel,
> rotes Paket, goldener Schriftzug.
> Will ihr sagen.
> Sie ist die Frau.
> In Rot.

Stunden warten.

In einer Woche, zwei Wochen.

Schwingen die Arme entgegen.

Das Kind taumelt.

Der Erwachsene erfüllt.

Bewunderung.

> Ich weine, schluchze in meine Brust.
> Nicht ruhighalten.
> Nicht stark bleiben.
> Nicht auszuhalten.

Todesursache: Haarausfall.

Wer weiß schon, was passiert.

Mäuse haben weiße Acrylnägel abgebissen.

> Ohne zu bemerken, ob es jemals gebraucht wird.

Ich bin froh, kein Bild zu haben,

soll es auch nicht abgebildet werden,

nicht – handschriftlich, malerisch, dargestellt –

> Ich setze mich und beobachte, stelle mich in den Weg. Öffne mich,
> öffne ihn. Sie hält sich ganz fest an meiner Hand. Schicke mich mit
> mir. Lese in einem Buch die Geschichte. Sie geben mir den Bruderkuß.
> Der Freund sitzt seinen Besitz ab.

Was wird er fragen, wenn es Nacht ist?

In der Umarmung des Schicksals

hört das Ohr ganz klar das Wort Kaffee.

So, die Tour ist zu Ende.

Es vergeht unsterblich nur das persönliche Drama.

– Honneur, Erreur, Heuresment –

Trägt die Wolke wattig, verschüttet sein Wasser in die Erde, bis das Bein über

eines stolpert.

Renald Deppe

Brandyclap: Mühsal & Trance

Chinesische Fettleber-Polka (danza de apareamiento)

Für 2 Chordophone, diverse Aufschlagplatten & 18 bewegliche Glieder

1. Spieler; wohlpräpariertes Hackbrett und 3 große Nietenbecken
Linke Hand zupft mit: Ringfinger & Daumen
Rechte Hand schlägt mit: Zeigefinger & Daumen

2. Spieler: doppelbauchige Zither und 5 kleine Nietenbecken
Linke Hand rupft mit: Ring-, Zeige-, Mittelfinger & Daumen
Rechte Hand sägt mit: Ring-, Mittelfinger & Daumen

3. Spieler; sorgsam gehämmertes Tamtam und 11 mittlere Nietenbecken
Linke Hand tupft mit: Zeige-, Mittel-, Ringfinger & Daumen
Rechte Hand näht mit: Zeige-, Mittel- & Ringfinger & Daumen

Zum Aufführungs-Ritual:

A) Vermittels mehrtägiger Meditation sollten sich die Ausführenden auf das gemeinsame
Grundtempo einschwingen: 0,2166666667 Schläge pro Sekunde: 13 Schläge pro Minute:
780 Schläge pro Stunde: 131.040 pro Woche.

B) Vermittels mehrstündiger Brand-Verkostung sollten sich die Ausführenden gemeinsam
die zu exekutierende Partitur verinnerlichen: Diese beschreibt das Schicksal der
chinesischen Prinzessin *Da Ji*, Nebenfrau des despotischen Königs *Di Xin* (†1122 v. Chr.),
welcher jener einen Alkohol-Pool und einen Fleisch-Wald einrichtete: Als die Prinzessin
sah, wie ihr stets trunkener Gatte seinem Onkel *Bi Gan* das Herz bei lebendigem Leibe
herausreißen ließ, um zu erfahren, wie denn das Herz eines Weisen beschaffen sei: Ab
diesem Moment hörte *Da Ji* fortan beständig die umseitig notierten Polka-Klänge, welche
die junge Frau nach neuneinhalb Wochen in den Wahnsinn trieben: Wie sie nun langsam
erblindete, allmählich Haupt-, Achsel- und Schamhaar als auch die Vorderzähne verlor:
Da begriff *Da Ji* dieses Handicap als Chance: Sie floh unerkannt nach Polen, konvertierte
zum katholischen Glauben, entsagte dem Branntwein, gelobte Keuschheit: Pilgerte nur
mit Hackbrett, Zither und einigen Nietenbecken notdürftig bekleidet von Zopot nach
Zakopane: Bestieg sogleich, wie später auch Papst Johannes Paul II. und Wladimir
Iljitsch Lenin, schweigend, in ihren Ohren stets die tumultösen Klänge besagter Polka
vernehmend, den mächtigen Rysy (zu deutsch: Meeraugspitze) und ward hernach nicht
mehr gesehen.

C) Vermittels mehrjähriger Übung in der virtuosen Handhabung verschiedener
Nietenbecken sollten sich die Ausführenden über die elementare Bedeutung folgender
Sätze entschieden im Klaren sein: Der Moment, an dem man eine Entscheidung trifft, ist
ein glücklicher Moment: Dort, wo die Angst sitzt, ist der Weg: Es sind die Gegensätze,
die uns lehren die Welt zu erkennen: Wer das Dunkel nicht gesehen hat, kann das Licht
nicht wahrnehmen: Auch ein Weg von tausend Meilen beginnt mit dem ersten Schritt:
Fürchte nicht die schleichenden Veränderungen, nur den Stillstand: Im Meer des Lebens
und im Meer des Sterbens müde geworden, sucht meine Seele den Berg, an dem alle
Fluten verebben: Wenn du aufhörst, an die Dinge zu denken und darüber zu sprechen,
gibt es nichts, was du nicht wissen kannst.

Zur Aufführungs-Dauer: ca. 9½ Stunden in den Vollmondnächten eines Halljahres.

Verheißungsvoll zogen wir aus und …

… trafen auf ihn. Aber Joseph Beuys ließ sich nicht die Butter vom Brot nehmen …

... schließlich bestahlen wir ihn doch ...

... wurden aber unseres Lebens nicht mehr froh.

Nichts Ganzes und nichts Eindeutiges.
Nur Schimmer, Flitter, Geflimmer.
Paßt ein Scherbengewitter
nicht zur Edition Splitter?

Ich kann alles. So führt er sich meist ein und auf.

Wo er hingeboren ist, sind keine Blumen mehr aufgeblüht, denkt er. Das bringt ihn zum Lachen, man möchte es fröhlich nennen.

Aus Höflichkeit wäre jetzt ein Satz über die Eltern angebracht. Aber wer bringt ihn an, fragt er sich, und woran?

Frau Magdalena ruft vor den Scherben ihrer Lieblingsvase entsetzt: »Jessas-Maria!« Ihm scheint, die sind nicht da. Und das teilt er ihr auch sachlich mit.

Er hätte gern gewußt, womit Frau Magdalena sich die Zeit vertreibt, wenn sie, wie man ihm gesagt hat, monatlich auf seine Miete wartet.

Als Musiker ist er der Überzeugung, die Ohren der Zuhörer müßten mit Noten vollgestopft werden. Pausenlos, wenn es nicht anders in der Partitur steht.

Jemand nennt seine Improvisation zu Tränen rührend. Er entschuldigt sich dafür, daß ihm das passiert ist.

Ach, seine Eltern, die sind auf den Friedhof übersiedelt. Das ist nicht so schlimm, der ist nur ein paar Gassen weiter, als ihre Wohnung früher war.

Die Zuteilung von Lebenszeit ist ganz ähnlich der Zuteilung von Lebensmittelmarken im Krieg. Und da waren Zigaretten für die, die noch nicht gefallen sind, auch dabei.

Manchmal reimt er vom Morgen weg, bis ihm die Reime ausgehen.

In einem Buch steht, daß einer den Nebenbuhler aus dem Weg räumt. So viel Ordnung muß gar nicht sein, meint er. Vor allem auf schlichten Wegen. Man kann ja auch drübersteigen.

Als jemand für ihn Partei ergreift und moniert, man dürfe ihn nicht immer ausschließen, widerspricht er. Wenn er ausgeschlossen wäre, müßte doch jemand den Schlüssel haben.

So sehr man das möchte, kann man nicht erwarten, daß die Menschen umgekehrte Alarmanlagen sind und melden, daß alles in Ordnung ist.

Das deutlichste Anzeichen, wie sehr man sich an ein neues Kleidungsstück endlich gewöhnt hat, sind die Löcher.

In einem Gespräch bringt er vor, es sei erst zweiundneunzig Häuser her, daß er dasselbe gesagt habe. Was, weiß er nicht mehr so genau.

Das Unkraut ist nicht weniger Kraut als der Unmensch Mensch, sagt er, auch wenn wir den ebenfalls nicht konsumieren.

Oft ist ihm, als brauche man nur zwei Gedanken im Leben, aber die immer. Wenn er die beiden kennet würde, wäre alles in Ordnung.

Als ein Mädchen um ihren Vater weint, fährt es ihm blitzartig durch den Kopf, daß es das gewesen wäre, was man in dieser Situation macht. Einen Tag verbringt er mit der unablässigen Wiederholung des Satzes: Nur dort, wo's fraglich, wird mir behaglich. Mit jeder Wiederholung wird ihm sicherer.

Als ihm jemand vorwirft, daß die Ideen in seinem Kopf nur so wuchern, fragt er, ob er deshalb Unkrautsalz essen solle.

Bei einer Geburtstagsfeier behauptet er mit leeren Händen, ein Geschenk sei ohnedies Gift, wenn man es englisch betrachtet.

Für viele Situationen hat er ein Regiebuch im Kopf; eine großartige Hilfe, zumindest solang die Reihenfolge der Szenen unangetastet bleibt.

Die Menschen schießen in einer Schnelligkeit Sätze auf einen los, daß man sie kaum vergelten kann.

Nummer drei mit Lächeln hilft fast immer aus der Patsche, wenn man nicht weiß, worum es geht.

Vor dem Schild »Nicht hinauslehnen« denkt er, daß für die Wirksamkeit des Schildes zuerst der Wunsch vorhanden sein muß, sich hinauszulehnen. Da er einen solchen Wunsch in sich nicht findet, schließt er, daß das Verbot für ihn nicht gilt.

Er hat es immer schon gehaßt, wenn jemand im Supermarkt das Obst *abtapscht*. Erst als er erfuhr, daß ihn da niemand angreifen, probeweise drücken und an ihm riechen werde, war er bereit, zur Reifeprüfung anzutreten.

Er habe alles, wirklich alles Mögliche probiert, aber dennoch keine Beachtung gefunden, sagt ihm ein Musikerkollege. Er grübelt, ob Selbstmord auch keine Beachtung gefunden hat, oder ob der gar nicht zum Möglichen gehört. Fis-Moll ist ein älterer Kater mit grünen Augen, der sein Fell sanft fauchend sträubt, aber sag das einmal jemandem. Da ist es besser, Fis-Moll zu sagen.

Das Klavier übt von alleine, wenn er davor sitzt. Er stellt nur seine Finger zur Verfügung.

Er weiß, daß sich manche einreden müssen, alles zu können und alles zu wissen, um dem Verdacht zu begegnen, nichts zu wissen und nichts zu können. Er weiß eben alles und somit auch das.

Als es heißt, daß er eine Sonate bestechend gespielt hat, verneint er entsetzt, weil doch gar kein Geld im Spiel war.

Er hält es für unabdingbar, nichts falsch zu machen, hegt aber den Verdacht, daß das auch nicht richtig ist.

Mit 'nem kleinen Stück vom Glück ist er schon zufrieden, denn Glück ist so zerbrechlich, daß man aufs Ganze gar nicht hoffen darf.

Selbstverständlich spielt er gern mit Zahlen oder siebensilbigen Wörtern. Womit sonst? Da er alle Reime [Tatze, Fratze] aufgebraucht hat, auch die verkürzten [Hatz, Platz], unreinen [Graz, hat's] und erweiterten [Fetzelchen, Grätzelchen], hat er keine Veranlassung mehr, sich über Katzen den Kopf zu zerbrechen.

»Er hat das Heft in der Hand« ist für ihn eine rein schulische Angelegenheit; als man ihm sagt, daß dies auch mit Schwertern zu tun habe, läßt er sich diese Willkür nicht gefallen.

Er wäre sonst mit allem einverstanden, aber das Au von »Autismus« behagt ihm gar nicht. Tut doch nicht weh.

Er bewundert die Regsamkeit der Leute, aber er muß nicht unbedingt an diesem Segen teilhaben, denn er wüßte nicht, wie er damit wieder aufhören sollte. Verhaltensanweisungen sind durch die Bank auf Kredit; ebenso wie man sich Gewohnheiten anderer im Bedarfsfall ausborgt.

Wenn man andere nachahmt, um nicht aufzufallen, klappt das nur beschränkt; er kann eine perfekte Marilyn Monroe, zeigt diese aber kaum mehr her. Seines Erachtens geschieht viel zu viel von dem, was man ihm vorwirft, ohne ihn.

Er beruhigt seine Vermieterin: Frau Magdalena, wenn alles so funktionieren würde wie ich, wäre die Welt ein Computer.

Opern sind trügerisch. Man spricht nicht von Weiberherzen und beginnt Sätze nicht mit »Oh«.

Man hat nur drei oder vier Gesichtsausdrücke zum Wechseln, aber es ist, als wäre der Lieblingsgesichtsausdruck immer in der Wäsche, wenn man ihn braucht.

Als er einen Kollegen öffentlich korrigiert, weil der einen halben Takt unterschlagen hat, sagt ihm der, er werde ihm das schon noch zurückzahlen. Seither wartet er auf den halben Takt.

Da kannst du Gift darauf nehmen, das heißt doch, daß etwas so sicher ist, daß das darauf genommene Gift nicht wirkt? Diese Überlegung führte bei ihm direkt zum Magenauspumpen.

Das Vierhändigspielen ist deshalb so schwer, weil einem die anderen beiden Hände nicht gehören.

Einmal vor vielen Jahren haben ihn Kinder heftig herumgeschubst. Die Wörter, die sie dazu sagten, tun nichts zu Sache. Er erinnert sich noch, wie glücklich er in ihrer Mitte war.

Der Unterschied zwischen *beichten* und *berichten* ist nur ein R.

Was auch immer das Salz des Lebens sein mag, es verdünnt sich, wenn man vom Regen in die Traufe kommt.

Die Kaufhauskontrolle fand ihn vor dem Zusperren auf der fünften Ebene. Der Verkäufer hatte gesagt: Sie fahren dafür in den zweiten Stock. Und nicht: Sie gehen. Aber der Lift war schon abgestellt.

»Was hast du?« ist eine unbeantwortbare Frage, weil sie selbst bei beschränktem Besitztum eine fast endlose Aufzählung erfordert. Nachdem ihm der Sinn dieser Frage erklärt worden ist, legt er sich folgende Antwort zurecht: Wer nichts hat, hat auch nichts zu verbergen, außer daß er nichts hat.

Angeblich haben die Menschen eine Augensprache, die wie Verkehrsampeln funktioniert, aber er ist dafür farbenblind.

Hänseln würde er verbieten, und Greteln sicher auch, damit klar ist, daß es sich hier nur um einen Märchenwunsch handeln kann.

Er sagt, daß er viel von der Liebe hält, wie man doch auch behaupten kann, daß New Orleans in den USA liegt, ohne schon dort gewesen zu sein.

Seine soziale Tagesenergie ist meist schon zu Mittag aufgebraucht.

Manchmal streckt er den Arm aus und berührt den anderen leicht an der Brust, um den richtigen Abstand für ein Gespräch zu finden, meist aber vergißt er ohnedies darauf.

Immer schon ist man gegangen, aber dann kommt der Tag, da wird man seiner Beine gewahr und probiert sie erfolgreich aus.

Wenn er schweigt und scheinbar keine Antwort weiß, lassen ihn seine Freunde in Ruhe, weil ihnen klar ist, daß er sich nur unter den vielen nicht entscheiden kann, während ihn andere, die nur eine Antwort zur Verfügung haben, für dumm halten.

»Du denkst vielleicht ...« – Dieser Phrase stimmt er immer zu, denn man denkt am besten so, wie man gedacht wird; und es ist doch egal, was man vorher im Kopf hatte.

Wörter sind bloß Käfige der Gedanken, aber auf freier Wildbahn würde man überhaupt nichts finden.

Auf seine Anfrage hin versicherte man ihm, er dürfe an seinem zwanzigsten Geburtstag so viel von der Torte essen, wie er nur könne. Er sagte sofort: Ich kann alles.

> Kraft Hirnstruktur ist
> Autismus Einzelhaft. Das
> bewußt Sein macht die
> Gefangenschaft noch ärger
> beim Leben als Asperger.

Sylvia Rosenhek
**beginn nicht
mit Strenge**

wenn ich von mir hören wollte dann hab ich von meiner Schwester über mich gehört.

alles Falsche ist gut. aber ich will ein Mensch bleiben der ich war. wenn ich könnte würde ich wollen. darf ich sagen was ich denke? ich hab kein Leben. und ich lebe noch. es nützt nichts zu wollen. als was ist er gekommen? als Gast? eingeworfen eingefädelt. normalerweise kann es entweder zufällig passieren oder auch niemals. ich habe keine Zeit für Stunden.

beginn nicht mit Strenge ... die Natur ist meine rechte Hand. ich verstehe nicht die Klarheit der Worte. die Angst kann man nicht selber kommandieren sie kommt und geht. ich habe genug von der ausgeborgten Schönheit.

ich hätte nicht vergessen wenn ich gewußt hätte.

man wird geizig was das Glück betrifft. das Gute kommt nach allem was passiert ist. was soll ich mit dem Glück tun? da ist man in einer Klemme. man findet immer Ausreden. Vorwände für das Wunderbare das nie kommt.

du meinst ich werde vergessen. daran werde ich nicht sterben. ich werde an etwas anderem sterben.

warum ist man immer böse auf die Nacht? ich bin nicht wie ich soll ich weiß nicht wie und so! das Erwachsene heißt das Vollständige! was soll aus mir werden ...? was ich mache ist immer ein Geheimnis!

das Wichtigste stellt sich erst zum Schluß heraus!

es ist nicht wichtig alles was man in seinem Leben gehört hat den Freunden zu sagen um sich zu hüten und alles was Du besitzt zu zeigen. Sagen heißt sich ausliefern.

beginn nicht mit Strenge ... du bist nicht geblieben, auch nicht gegangen und Gott sei Dank du bist da.

an wen hab ich gedacht, wenn ich gedacht habe?

ich bin ein faules Stück und habe keine gute Meinung über mich! besser ein kleines Kind als ein altes. vielleicht bin ich jetzt besser geworden und ich weiß es gar nicht.

das war das Ende meines Glücks. ich liebe Euch alle wenn ihr auch als Einzel-stück kommt und dann ist das Wohlergehen gemacht.

ich habe keine Angst zu verhungern. irgendwie kommt jeder zu seinem Bissen. ich beneide diejenigen die keinen Hunger haben.

dieser Blick hat mich erwärmt. es ist ein Verbrechen, wenn man nicht liebt. für ewig.

ich weiß nicht ob mein Mann mich oder ich ihn geheiratet habe.

ich möchte durchbrennen. in meine Welt. ich bin schon so alt. was such ich dann noch hier? wem gehöre ich? ich habe kein Kindesleben gehabt. weil ich mich nicht erinnere. ich spiel doch kein Theater. ein Mensch der nicht ein Mensch mehr ist hat seinen Weg verloren.

ich will nicht sein in fremden Händen. wenn man unerfahren ist muß man vorsichtig sein. beginn nicht mit Strenge. ich bin ein Mensch wie jeder andere nicht gut nicht schlecht ganz normal. so hoffe ich. so glaube ich. ich komme von einer guten anständigen Familie. wenn ich nicht gut bin weiß ich nicht wohin ich gehen soll.

ich habe ja niemandem was böses getan. das darf man nicht vergessen. hab ich doch einen guten Kopf. nicht?

ich belästige niemanden auch wenn es nur die Zeit ist.

beginn nicht mit Strenge
sonst ist es das Ende.

Biographien

Christian Baier geboren in Wien. Musiktheaterdramaturg [Wr. Festwochen, Wuppertaler Bühnen, Musiktheater Dortmund, Deutsche Oper Berlin]. Schriftsteller, Librettist. Publikationen: »Joseph. Ein deutsches Schicksal«, Wien 2001; »Romantiker«, Wien 2006; »Panzerschlacht«, Wien 2008.

Claudia Berg geboren 1976 in in Halle/Saale. Studium an der Hochschule für Kunst und Design Burg Giebichenstein und an der Universitat Politecnica de Valencia, Spanien. Studienaufenthalte in China und den Niederlanden 1999 und 2001.

Hans D. Boeters geboren 1944 in Berlin. Lebt als freier Patentanwalt und European Representative in München. Literarische und wissenschaftliche Veröffentlichungen in Zeitschriften und Anthologien. Preise: Torso-Literaturwettbewerb 2007 und 2008.

Frank Phil. Bruns Theater- und Lebensmensch. Lebt und arbeitet in Berlin.

Günter Brus geboren 1938 in Ardning, lebt seit 1979 in Graz. Maler, Graphiker, Schriftsteller. Mitbegründer und einer der radikalsten Vertreter des Wr. Aktionismus. In seinen »Bild-Dichtungen« schafft er eine Synthese von Dichtung und Malerei. Publikationen [Auswahl]: »Das gute alte Wien« Wien 2007; »Die Geheimnisträger« Wien 2007.

Bernd Damovsky geboren 1953 in Fladungen. Studium in Stuttgart bei Rudolf Hoflehner. Bildender Künstler, Bühnenbildner [u.a. Schaubühne Berlin, Deutsche Oper Berlin, Hamburgische Staatsoper, Theater Kiel]. Zusammenarbeit u.a. mit Kirsten Harms und Peter Stein.

Renald Deppe geboren 1955 in Bochum, lebt in Wien. Komponist. Solo- und Ensemblearbeit im Bereich klassischer zeitgenössischer improvisierter Musik. Graphische Notationsarbeit. Interdisziplinäre Projektgestaltung. Installationen. Preis der Stadt Wien für Musik 2006.

Johannes Diethart Gründer der Literaturzeitschrift und des Verlages »Österr. Literaturforum«.

Juliane Ebner geboren in Stralsund, lebt und arbeitet als freie Künstlerin in Berlin. Studium der Kirchenmusik in Halberstadt und Dresden, Studium der Theologie und Psychologie in Kiel sowie der Freien Kunst in Kiel. Arbeiten in privatem und öffentlichem Besitz, u. a. Land Schleswig-Holstein, Kulturcenter Kiersgaard/DK, Villa Haiss, Museum Zeitgenössischer Kunst.

Stephan Eibel Erzberg geboren 1953 in Eisenerz. Studium der Soziologie, Pädagogik und Philosophie. Zahlreiche Buchveröffentlichungen.

Lisa Est geboren 1952 in Wiener Neustadt. Ausstellungen in Wien und Bern.

Tone Fink geboren 1944 in Schwarzenberg. Zahlreiche Ausstellungen und Auszeichnungen.

Michael Fischer geboren 1945 in Prag. Universitätsprofessor für Rechts- und Sozialphilosophie sowie Politikwissenschaften an der Universität Salzburg. Publikationen [Auswahl]: »Vernunft als Norm«, Frankfurt/Main 2005; »Die Festspiele«, St. Pölten-Salzburg 2007. Umfangreiche Herausgebertätigkeit.

Stephan Groetzner geboren 1965 in Hamburg. Tätigkeiten als Barkeeper, Chorleiter, Erntehelfer, Galerist, Organist, Stanzer und Wachtmeister. Lebt seit 1996 in Berlin. 1998 Preisträger beim 6. Open Mike der Literaturwerkstatt Berlin. Veröffentlichungen in Zeitschriften.

Verena Harzer geboren 1976 in Stuttgart. Schauspiel- und Musiktheaterdramaturgin [Stuttgarter Staatstheater, Forum Theater Hamburg, Brotbühnefabrik Berlin, Schaubühne Berlin, Musiktheater Dortmund], Produktionsleiterin des Festivals »Rohkunstbau« in Berlin. Derzeit Dramaturgin für »written-not-written« und German Theatre Abroad, Berlin.

Franz Hautzinger geboren 1963, Komponist und Interpret zeitgenössischer und improvisierter Musik. [Gast-]Solist zahlreicher Ensembles, Kooperationspartner international renommierter Künstler. Zahlreiche Auszeichnungen und Stipendien.

Frank Hegemann geboren 1958 in Duisburg. Studium an der FH für Gestaltung in Hamburg. Lebt seit 1993 in Berlin. Ausstellungen in Hamburg, Berlin und Wien. Ausstattungen für Theaterproduktionen in Berlin, Konstanz, Weimar u. a.

Barbara Höller geboren 1959 in Wien, Studium an der Universität Wien [Mathematik] und Universität für angewandte Kunst in Wien. Zahlreiche Preise, Stipendien und Ausstellungen.

Claire Horst geboren 1978 in Frankfurt/Main. Studium in Glasgow und Berlin. Lebt als Dozentin für Deutsch als Fremdsprache und freie Autorin in Berlin.

Gerhard Jaschke geboren 1949 in Wien. 1975 gründete er mit H. Schürrer die Zeitschrift »Freibord«. Seit 1986 Lehrbeauftragter für Literaturgeschichte an der Akademie der bildenden Künste Wien. Publikationen u. a.: »Von mir aus«, Wien 1993; »Urlenz«, 2006; »Endlich doch noch«, 2007.

Dorothea Jecht geboren 1973 in Pasadena [USA], Studium der Philosophie, Germanistik, Kunstgeschichte, DAAD-Lektorin für Deutsche Literatur und Hochschulmarketing in Delhi [Indien], Wissenschaftsmanagerin beim DAAD Bonn. Publikationen: »Die Aporie Wilhelm von Humboldts«, Hildesheim 2003.

Claudine Jüptner geboren in München, Studium der Musik und Psychologie in Frankreich. Ausbildung zur psychoanalytischen Gruppentherapeutin und Psychodramatistin. Seit über 10 Jahren als Kinder- und Jugendpsychologin und Psychotherapeutin in Lyon tätig.

Hahnrei Wolf Käfer geboren 1948 in Wien. Autor, Librettist und Jazzmusiker. Zahlreiche Preise und Auszeichnungen. Publikationen [Auswahl]: »ein laptop im gras – Haiku und Metahaiku«, Wien 2000; »kultur nach gärtnerinnenart«, Wien 2003.

Angelika Kaufmann geboren 1935 in St. Ruprecht bei Villach, lebt in Wien und Warnungs. Studium an der Hochschule für angewandte Kunst in Wien. Akademie der Schönen Künste in Krakau. Seit 1970 Illustrationen für Kinderbücher. Publikationen [Auswahl]: »a slip in the alphabet«, Wien 1998; »die fliegende frieda«, Wien 2000; »Arbeiten auf und mit Papier«, Wien 2008.

Mandana Kerschbaumer geboren 1954 in Wien. Soziologin, Supervisorin. Lebt seit 1987 in der Schweiz. Seit 1997 als FH / HF Dozentin für Soziale Arbeit und in Gesundheitsbereichen tätig.

Hubsi Kramar geboren 1948 in Scheibbs. Schauspieler, Regisseur, Aktionist, Theaterleiter. 2003 Nestroy-Theaterpreis.

Klaus Kufeld geboren 1951 im Rottal. Studium der Philosophie. Leiter des Ernst Bloch-Zentrums in Ludwigshafen/Rhein, Reiseschriftsteller und Essayist. Publikationen [Auswahl]: Die Reise als Utopie. Ethische und politische Aspekte des Reisemotivs, München 2010; »Der kulinarische Eros. Geschichten über die Seele des Kochens & Essens«, Wien 2009; »Reisen. Ansichten und Einsichten«, Frankfurt/Main 2007; »Die Erfindung des Reisens. Versuch gegen das Missverstehen des Fremden«, Wien 2005.

Susanna Marchand geboren 1963 in Wien, Schauspielerin, Regisseurin, Zusammenarbeit mit George Tabori, 1993–1997 Ensemblemitglied des Wiener Burgtheaters.

Bernd Marin geboren 1948 in Wien. Sozialwissenschaftler. Internationale Lehrtätigkeit. Zahlreiche Publikationen und Tätigkeit für Tageszeitungen [u. a. »Der Standard«] und Fachmagazine.

Friederike Mayröcker geboren 1924 in Wien. Friedrich-Hölderlin-Preis 1993; Else-Lasker-Schüler-Preis 1996; American-Awards-Preis 1997; Georg-Büchner-Preis 2001; Bremer Literaturpreis 2010. Publikationen [Auswahl]: »Magische Blätter V«, Frankfurt/Main 1999; »Requiem für Ernst Jandl«, Frankfurt/Main 2001. Lebt als Schriftstellerin in Wien.

Eva Menasse geboren 1970 in Wien. Studium der Germanistik und Geschichte. Journalistin für »Profil«, Redakteurin der »Frankfurter Allgemeinen Zeitung«, Kulturkorrespondentin in Prag. Ihr Romandebüt »Vienna« sorgte 2005 für großes Aufsehen. Lebt in Berlin.

Felix de Mendelssohn geboren 1944 in London, Psychoanalytiker und Gruppenanalytiker, Abteilungsvorstand für Psychotherapeutische Schulen an der Sigmund Freud-Privatuniversität Wien, Dozent für Methodik am FH Campus Wien, Dozent am Max Reinhardt-Seminar für Darstellende Künste Wien. Publikationen u. a: »Foulkes Lecture«, London 2000; »The Aesthetics of the Political in Group Analytic Process – The Wider Scope of Group Analysis«.

Gertrude Moser-Wagner geboren 1953 in der Steiermark. Lebt seit 1971 als Bildhauerin und Konzeptkünstlerin in Wien. Studium an der Akademie der Bildenden Künste [Gironcoli]; Ausstellungen und Projekte im In- und Ausland.

Thomas Northoff geboren 1947 in Wien, Schriftsteller, Kulturwissenschaftler. Seit 1983 »Österreichisches Graffiti-Archiv für Literatur, Kunst und Forschung«. Publikationen [Auswahl]: »Graffiti. Die Sprache an den Wänden«, Wien 2005; »LUST.IG VERLIEREN«, Wien 2005.

Andreas Okopenko geboren 1930 in Košice/Kaschau [Slowakei]; gestorben 2010 in Wien. Staatspreis für Literatur 1977; Großer Österreichischer Staatspreis für Literatur 1998; Georg Trakl-Preis 2002; Publikationen u.a: »Lexikon. Roman einer sentimentalen Reise zum Exporteurtreffen in Druden«, Salzburg 1970; »Gesammelte Lyrik«, Wien 1980; »Meteoriten«, Salzburg 1986; »Erinnerung an die Hoffnung. Gesammelte autobiographische Aufsätze«, Wien 2008.

Markus Redl geboren 1977 in Klosterneuburg, Studium an der Universität für angewandte Kunst, Wien. Zahlreiche Einzel- und Gruppenausstellungen in Wien, Graz, Salzburg, Brüssel, München und Italien. Publikationen [Auswahl]: »Oxymoron – ein Kind der Postmoderne«, 2009; »Strukturelle Ambiguität«, 2007; »Nächstes Jahr ist noch ein Tag«, 2005.

Karl Riha geboren 1935 in Böhmisch Krummau/Český Krumlov. Lebt in Siegen. Arbeitet als Literaturwissenschaftler, Kritiker, Autor. Zahlreiche wissenschaftliche und literaturkritische Veröffentlichungen. 1996 Literaturpreis für grotesken Humor der Stadt Kassel. Publikationen [Auswahl]: »Gomringer. Fortsetzungskrimi«, Wien 1998; »Fünfzig Sonette«, Wien 1999.

Sylvia Rosenhek geboren 1920 in Kimpolung/Bukowina [heute Rumänien]. Während des Zweiten Weltkrieges Deportation nach Mogilew [heute Ukraine]. 1955 Emigration nach Wien.

Gerhard Rühm geboren 1930 in Wien. Lebt in Köln und Wien. Mitbegründer der »wiener gruppe«. Preis der Stadt Wien, 1984; Großer Österreichischer Staatspreis, 1991. 1972–1995 Professor an der Hochschule für bildende Künste in Hamburg. Publikationen [Auswahl]: »momentgedichte & kurzgeschichten« 2001; »masoch – eine rituelle rezitation« 2003; »das welthände« 2003.

Gregor Schuberth geboren 1972. Studium der Architektur in Wien. Arbeitet als Architekt in Wien. Aktionen im öffentlichen Raum.

Roland Schwab geboren 1969 in Saint Cloud/Paris. Regiestudium bei Götz Friedrich und Ruth Berghaus. 1998–2003 Oberspielspielleiter am Meininger Theater. Inszenierungen in Hamburg, Berlin, Meißen, Meiningen, Freiburg, Münster, Dortmund, Gelsenkirchen, am Südostbayerischen Ständetheater sowie an der Deutschen Oper Berlin.

Christian Steinbacher geboren 1960 in Ried im Innkreis. Lebt als Schriftsteller, Kurator und Herausgeber in Linz. Poesie, Prosa, Essay, Hörstück, [spartenübergreifende] Zusammenarbeiten. Zahlreiche Publikationen.

Thomas Steiner geboren 1961 in Reutte/Tirol. Redaktionsmitglied der Literaturzeitschrift »außer.dem«. Lebt in Neu-Ulm/Deutschland.

Sara R. Suchanek, geboren 1950 in Wien, Physiotherapeutin.

Peter Tertinegg geboren 1945; war Volksschullehrer. Lebt in Graz. Veröffentlichungen in Literaturzeitschriften und im ORF.

Josef Trattner geboren 1955 in Semriach. Lehrbeauftragter an der Akademie der Bildenden Künste in Wien. Mitglied der Wiener Secession. Zahlreiche internationale Ausstellungen.

Thomas Josef Wehlim geboren 1966, Studium in Mainz. Seit 1994 Dozent an den Hochschulen in Mainz und Leipzig.

Anke Weiller geboren 1954 in Duisburg. Studium der Psychologie in Paris. Lebt und arbeitet seit 1992 als Verhaltenstherapeutin in Berlin.

Befindlichkeiten des 21. Jahrhunderts [Anthologien]

»Hypochondria«

Wien 2004 17x24 cm 96 Seiten 16 Abbildungen ISBN 978-3-901190-88-0

Trotz zahlreicher Untersuchungen bin ich organisch gesund. Ich fühle mich plötzlich federleicht. Ich werde mir auf meiner Beerdigung die Augen aus dem Kopf weinen. [Ilse Kilic & Fritz Widhalm]

»Schreibrituale«

Wien 2005 17x24 cm 144 Seiten 16 Abbildungen ISBN 978-3-901190-92-9

Wie bei allen Ritualen spielt der Ablauf eine wesentliche Rolle. Einmal begonnen zu schreiben, kennzeichnet ein symptomatisches Abermaliges den Vorgang. Es ist ein ständiges Beginnen in allen Sätzen.
Für den Schulunterricht empfohlen; enthalten in der Schulbuchliste!

»Leidenschafften«

Wien 2006 17x24 cm 144 Seiten 16 Abbildungen ISBN 978-3-901190-98-8

Wer von der Sprengkraft der Leidenschaften berichtet, muß seine Gefühlsterminologie gründlich hinterfragen, um nicht Herz über Kopf in die Mammutfalle des denkgerecht definierten, Vorformulierten zu stolpern.

»Pedanten Chaoten«

Wien 2008 17x24 cm 144 Seiten 16 Abbildungen ISBN 978-3-901190-50-6

Den Pedanten gibt es in der reinen Form der Fallstudie ebenso wenig, wie den heillosen Chaoten. So spannt sich der Bogen der Beiträge von der Zerstücktheit der Wahrnehmung bis zur nüchternen Betrachtung des Phänomens durch die wissenschaftliche Linse.

»Stehlen & Rauben«

Wien 2004 17x24 cm 144 Seiten 16 Abbildungen ISBN 978-3-901190-83-4

Vom biblischen Verbot von Mund- und Menschenraub, von materiellem und geistigen Diebstahl, von den kleinen Delikten der Kindheit zu den Kapitalverbrechen der Gegenwart. Eine Gedankensammlung zwischen Krimi und Kriminologie.

»Schlager & Treffer«

Wien 2010 17x24 cm 176 Seiten 21 Abbildungen ISBN 978-3-901190-89-6

Von Schlagern und Treffern, Hitparaden und »Highcharts«, von Betreff und Betroffenheit, Schlagabtausch und Trefferquoten, von Erfolg und seinem Preis. Beiliegende CD enthält erste Aufnahmen zur Oper Join von Franz Koglmann.

Mein Handicap

Edition Splitter dankt
dem Bundesministerium für Unterricht, Kunst und Kultur,
dem Magistrat der Stadt Wien und
dem Bundesministerium fur Wissenschaft und Forschung in Wien

CIP-Titelaufnahme der Deutschen Bibliothek

Handicap
Schicksal & Chance [Eine Anthologie]

Herausgeber: Edition Splitter
Coverabbildung: Frank Hegemann
Layout: bahoe production vienna
Lektorat: Dr. Christian Baier, Dr. Johannes Diethart, Batya Horn
Druck: Digidruck Wien

Edition Splitter Salvatorgasse 10/Fischerstiege 1-7, 1010 Wien

Telefon +43-1-532 73 72
Mobil +43-664 403 01 72
horn@splitter.co.at
www.splitter.co.at

UID ATU 10237304

Die Rechtschreibung der AutorInnen wurde berücksichtigt.

© edition splitter 2011
ISBN 978-3-901190-42-2